SE 07

Curso

MAD360

*La diferencia entre aprobar
y sacar plaza*

Subalterno/a

GENERALITAT VALENCIANA

Si aún no dispones de tu **Curso MAD360**, te ofrecemos un acceso GRATIS de 30 días para que disfrutes de los siguientes recursos:

- Técnicas de Memoria 360.
- MADTEST: Test *online* Nivel PRO.
- Temario en formato digital.
- Vídeos.
- Esquemas.
- Planificación de estudio.
- Foro entre opositores hasta la fecha del examen.*
- Recursos y novedades exclusivas.
- Consúltanos sobre tu oposición y proceso selectivo.
- Actualizaciones legislativas (Boletines Oficiales) hasta 60 días antes de la fecha del examen.*

Para acceder a esta prueba del Curso MAD360** será necesaria la compra de todos los libros para esta especialidad de la edición 2026.

Regístrate en **mad.es/iniciar-sesion** y, en la pestaña **MIS CURSOS**, valida los códigos que encontrarás en la última página de tus libros. Recuerda que dispones de un plazo de **45 días desde la fecha de compra** para realizar la validación. Si no verificas tu matrícula, el periodo de uso del curso comenzará a contar aunque no hayas accedido.

NOTA IMPORTANTE:

* Examen de esta categoría profesional correspondiente a la convocatoria publicada en el DOGV n.º 10330, de 26 de marzo de 2026, o hasta el 31 de mayo de 2027, lo que se cumpla antes, y previa renovación del servicio.

** El acceso al CURSO MAD360 estará disponible desde mayo de 2026 (algunos recursos podrían estar disponibles en fecha posterior). Tendrá una duración de 30 días RENOVABLES mediante pago, desde la validación de códigos, o hasta el 30 de noviembre de 2027, lo que se cumpla antes.

MAD se reserva el derecho a ampliar dichas fechas.

Subalterno/a de la Generalitat Valenciana

Abril 2026

0520-01X-0-0-0426

Subalterno/a de la Generalitat Valenciana

Test del temario

FRANCISCO JESÚS TORRES FONSECA
LICENCIADO EN DERECHO

LIDIA PONCE MARTÍNEZ
LICENCIADA EN PSICOLOGÍA

© 7 Editores Recursos para la Cualificación Profesional y el Empleo, S.L. (7 Editores)
© Los autores
Primera edición, abril 2026 (110 páginas)
Derechos de edición reservados a favor de 7 Editores
IMPRESO EN ESPAÑA
Diseño Portada: 7 Editores
Edita: 7 Editores
Avda. San Francisco Javier, 9 · Edificio Sevilla 2 · Planta 11 · Módulos 25-27 · 41018 Sevilla
Teléfono: 954 784 411 · WEB: www.mad.es · e-mail: administracion@7editores.com
ISBN: 979-13-702-8831-0
© "Editorial Mad" y "Eduforma" son nombres comerciales registrados de
7 Editores Recursos para la Cualificación Profesional y el Empleo, S.L.

Queda rigurosamente prohibida la reproducción total o parcial de esta obra por cualquier medio
o procedimiento sin la autorización por escrito del editor.

Índice

PARTE GENERAL

A. CONSTITUCIÓN

B. ORGANIZACIÓN DE LA COMUNITAT VALENCIANA

C. MATERIAS TRANSVERSALES

PARTE ESPECIAL

A. DERECHO ADMINISTRATIVO

B. FUNCIÓN PÚBLICA

C. ATENCIÓN A LA CIUDADANÍA

D. SEGURIDAD Y SALUD LABORAL

E. INFORMÁTICA BÁSICA Y OFIMÁTICA

A. Constitución

La Constitución Española de 1978: Título Preliminar; Título I, De los derechos y deberes fundamentales

1. El artículo 10 de la Constitución Española contempla:

a) Que la dignidad de la persona es fundamento del orden político y de la paz social.
b) El primero de los derechos fundamentales contenidos en la misma.
c) La prohibición de lesión a la persona física.
d) La interpretación de la Declaración Universal de Derechos Humanos conforme a la Constitución Española.

2. ¿Cuál de los siguientes no se especifica en el artículo 10.1 como fundamento del orden político y la paz social?

a) La dignidad de la persona.
b) Los derechos inviolables de la persona.
c) La seguridad jurídica.
d) El libre desarrollo de la personalidad.

3. En relación con la dignidad de la persona:

a) En realidad, la Constitución solamente la reconoce a la persona en tanto que ciudadana.
b) Puede verse alterada, jurídicamente hablando, atendiendo a la situación en que la persona se encuentre.
c) No admite grados.
d) Es renunciable y disponible.

4. El artículo 10 de la Constitución Española:

a) No reconoce el valor de los Tratados Internacionales, dándole el máximo y único valor a la Constitución.
b) Dispone que los tratados y acuerdos ratificados por España sirven de parámetro interpretativo de los derechos y libertades establecidos en la Constitución.

13

c) Reconoce únicamente validez, en relación con los derechos humanos, a la Declaración Universal de Derechos Humanos.

d) Establece que los Tratados Internacionales ratificados por España se situarán en una posición superior en la jerarquía normativa respecto de la Constitución.

5. De la Constitución se desprende que:

a) Los derechos y libertades establecidos en Tratados internacionales no tienen valor.

b) Los derechos y libertades establecidos en Tratados internacionales tienen rango constitucional.

c) Los derechos y libertades establecidos en Tratados internacionales tienen rango constitucional únicamente en la medida en que también estén reconocidos en la Constitución Española.

d) Los derechos reconocidos en Tratados internacionales tienen eficacia directa, por este hecho, en los tribunales españoles, aunque no hayan estado ratificados por el Estado español.

6. En relación con la nacionalidad española:

a) La Constitución establece que solamente se puede adquirir por nacimiento.

b) Se adquiere únicamente por nacimiento, no obstante, un extranjero puede optar a la residencia.

c) Se puede adquirir.

d) Nunca se puede perder.

7. En base a la Constitución Española:

a) Un español nunca puede perder su nacionalidad.

b) Ningún español de origen podrá ser privado de su nacionalidad.

c) La nacionalidad siempre se conserva.

d) No se admite la doble nacionalidad de un español.

8. En relación con la doble nacionalidad:

a) La Constitución Española no la permite.

b) El Estado puede concertar tratados de doble nacionalidad con los países iberoamericanos o con aquellos que hayan tenido o tengan una particular vinculación con España.

c) Solamente se puede reconocer en relación con la nacionalidad de otros países europeos.

d) Solamente se puede reconocer en relación con antiguos países que formaban parte de la Corona española.

9. ¿Cuál de las siguientes afirmaciones es falsa?

a) No es la primera vez que una Constitución Española regula aspectos relacionados con la nacionalidad.

b) La Constitución Española no es la única a nivel mundial que contiene regulación respecto de la nacionalidad de los ciudadanos del Estado.

c) En la Constitución se desarrollan las formas de adquisición, conservación y pérdida de la nacionalidad española, dada su importancia.

d) La nacionalidad es una cualidad jurídica de la persona.

10. En base al artículo 12 de la Constitución Española:

a) Los españoles se pueden emancipar a los dieciocho años.

b) Los españoles se pueden emancipar a los dieciséis años.

c) Los españoles son mayores de edad a los dieciocho años.

d) Los españoles son mayores de edad a los veintiún años.

11. Indica la respuesta incorrecta:

a) Que la Constitución establezca cuál es la edad de obtención de la mayoría de edad no implica que, por causa justificada, la ley pueda establecer otras edades para ejercer algunos derechos y obligaciones.

b) Que la Constitución establezca cuál es la edad de obtención de la mayoría de edad no implica la imposibilidad de emanciparse.

c) La Constitución equipara la minoría de edad con la incapacidad.

d) La Constitución vincula, en términos generales, la mayoría de edad a la adquisición de la plena capacidad de obrar.

12. No ser mayor de edad implica:

a) Que no puedes votar en las elecciones.

b) Que no puedes contraer matrimonio.

c) Que no puedes trabajar.

d) Que no puedes celebrar ningún tipo de contrato.

13. Atendiendo a lo dispuesto en el artículo 13 de la Constitución:

a) En todo caso, solamente los españoles están legitimados para participar en asuntos públicos.

b) Los extranjeros gozarán es España de los derechos fundamentales, pero no de las libertades públicas establecidas en la Constitución.

c) Los españoles son titulares del derecho de participación en los asuntos públicos, lo que puede extenderse, vía tratado o ley, a otros sujetos para el derecho de sufragio activo y pasivo en las elecciones municipales, siempre atendiendo a criterios de reciprocidad.

d) Solamente los españoles mayores de edad y con determinado nivel cultural pueden participar en asuntos públicos.

14. En relación con el derecho de asilo:

a) No se puede conceder a los refugiados, en ningún caso.

b) Por ley orgánica se establecerán los términos en que los ciudadanos de otros países podrán gozar de este derecho en España.

c) Por ley se establecerán los términos en que los ciudadanos de otros países y los apátridas podrán gozar de este derecho en España.

d) Por reglamento se establecerán los términos en que los apátridas podrán gozar de este derecho en España.

15. Indica la respuesta correcta en relación con la extradición:

a) La extradición solo se concederá en cumplimiento de un tratado o de la ley, atendido al principio de reciprocidad.

b) La extradición solo se concederá en cumplimiento de un tratado o de la ley, sin requerirse la reciprocidad.

c) También se puede conceder la extradición por delitos políticos.

d) No se puede extraditar por actos de terrorismo.

En MADTEST tienes **más preguntas de este tema**, y todos tus avances quedan registrados y se reflejan en el ranking.

¡Supera tus límites con MADTEST!

Solución al test n.º 1

1. a) Que la dignidad de la persona es fundamento del orden político y de la paz social.

2. c) La seguridad jurídica.

3. c) No admite grados.

4. b) Dispone que los tratados y acuerdos ratificados por España sirven de parámetro interpretativo de los derechos y libertades establecidos en la Constitución.

5. c) Los derechos y libertades establecidos en Tratados internacionales tienen rango constitucional únicamente en la medida en que también estén reconocidos en la Constitución Española.

6. c) Se puede adquirir.

7. b) Ningún español de origen podrá ser privado de su nacionalidad.

8. b) El Estado puede concertar tratados de doble nacionalidad con los países iberoamericanos o con aquellos que hayan tenido o tengan una particular vinculación con España.

9. c) En la Constitución se desarrollan las formas de adquisición, conservación y pérdida de la nacionalidad española, dada su importancia.

10. c) Los españoles son mayores de edad a los dieciocho años.

11. c) La Constitución equipara la minoría de edad con la incapacidad.

12. a) Que no puedes votar en las elecciones.

13. c) Los españoles son titulares del derecho de participación en los asuntos públicos, lo que puede extenderse, vía tratado o ley, a otros sujetos para el derecho de sufragio activo y pasivo en las elecciones municipales, siempre atendiendo a criterios de reciprocidad.

14. c) Por ley se establecerán los términos en que los ciudadanos de otros países y los apátridas podrán gozar de este derecho en España.

15. a) La extradición solo se concederá en cumplimiento de un tratado o de la ley, atendido al principio de reciprocidad.

TEST N.º 2

La Constitución Española de 1978: Título III, De las Cortes Generales: Capítulo I, De las Cámaras; Capítulo II, De la elaboración de las leyes; Título IV, Del Gobierno y de la Administración; Título V, De las relaciones entre el Gobierno y las Cortes Generales

1. Las Cortes Generales:

a) Ejercen la potestad legislativa del Estado, aprueban sus Presupuestos, controlan la acción del Presidente del Gobierno y tienen las demás competencias que les atribuya la Constitución.

b) Ejercen la potestad legislativa y reglamentaria del Estado, elaboran sus Presupuestos, controlan la acción del Gobierno y tienen las demás competencias que les atribuya la Constitución.

c) Ejercen la potestad legislativa del Estado, aprueban sus Presupuestos, controlan la acción del Gobierno y tienen las demás competencias que les atribuya la Constitución.

d) Ejercen la potestad reglamentaria del Estado, elaboran sus Presupuestos, controlan la acción del Gobierno y tienen las demás competencias que les atribuya la Constitución.

2. Las Cortes Generales:

a) Controlan la acción del Rey y del Presidente del Gobierno.
b) Ejercen la potestad reglamentaria del Estado.
c) Aprueban los Presupuestos del Estado.
d) Controlan la acción del Rey y del Gobierno.

3. Las Cortes Generales son:

a) Inmunes.
b) Inviolables.
c) Invariables.
d) Inmutables.

4. ¿Quién representa al pueblo español?

a) El Presidente del Gobierno.
b) El Rey.

c) El Presidente del Congreso de los Diputados.
d) Las Cortes Generales.

5. ¿Quién controla la acción del Gobierno?

a) El Rey.
b) El Presidente del Gobierno.
c) El Presidente del Congreso de los Diputados.
d) Las Cortes Generales.

6. Las Cortes Generales están formadas por:

a) El Congreso de los Diputados y el Senado.
b) El Rey, el Congreso de los Diputados y el Senado.
c) El Presidente del Gobierno y el Congreso de los Diputados.
d) El Consejo de Ministros, el Congreso de los Diputados y el Senado.

7. ¿Quién ejerce la función legislativa en España?

a) El pueblo español.
b) El Consejo de Ministros.
c) El Presidente del Gobierno.
d) Las Cortes Generales.

8. Para que las reuniones de Parlamentarios vinculen a las Cámaras deberán celebrarse:

a) Con convocatoria reglamentaria.
b) En el Congreso de los Diputados.
c) En días laborables.
d) Con convocatoria reglamentaria y presencia de la totalidad de sus miembros.

9. Un Diputado del Congreso de los Diputados:

a) Podrá ser miembro del Congreso de los Diputados y de una Asamblea de Comunidad Autónoma.
b) No podrá ser miembro de las dos Cámaras simultáneamente, salvo que se trate del Presidente de las Cámaras.
c) Podrá ser miembro del Congreso de los Diputados y del Senado, simultáneamente.
d) No podrá ser miembro del Congreso de los Diputados y de una Asamblea de Comunidad Autónoma.

10. Los miembros de las Cortes Generales:

a) Son inviolables.
b) No están ligados por mandato imperativo.

c) Son inmunes.
d) Están ligados por mandato imperativo.

11. Un Senador:

a) Podrá acumular el acta de Diputado al Congreso y de Senador.
b) Podrá acumular el acta de una Asamblea de Comunidad Autónoma con la de Senador.
c) Excepcionalmente podrá acumular el acta de una Asamblea de Comunidad Autónoma con la de Senador, si se trata del Presidente del Senado.
d) No podrá acumular el acta de una Asamblea de Comunidad Autónoma con la de Senador.

12. Los Senadores:

a) No están ligados por mandato imperativo.
b) Están ligados por mandato imperativo respecto de la provincia a la que representan.
c) Podrán acumular el acta de Diputado al Congreso a la de Senador.
d) Son inviolables.

13. El Congreso se compone de:

a) Un mínimo de 200 y un máximo de 300 Diputados.
b) Un mínimo de 200 y un máximo de 350 Diputados.
c) Un mínimo de 300 y un máximo de 400 Diputados.
d) Un mínimo de 300 y un máximo de 350 Diputados.

14. La circunscripción electoral al Congreso de los Diputados es:

a) La ciudad, cada isla o agrupación de ellas, con Cabildo o Consejo Insular.
b) La provincia.
c) La Comunidad Autónoma.
d) El Estado.

15. Las poblaciones de Ceuta y Melilla están representadas:

a) Ambas, por el mismo Diputado.
b) Cada una de ellas por un Diputado.
c) Ambas, por tres Diputados.
d) Cada una de ellas por dos Diputados.

En MADTEST tienes **más preguntas de este tema,** y todos tus avances quedan registrados y se reflejan en el ranking.

¡Supera tus límites con MADTEST!

Solución al test n.º 2

1. c) Ejercen la potestad legislativa del Estado, aprueban sus Presupuestos, controlan la acción del Gobierno y tienen las demás competencias que les atribuya la Constitución.

2. c) Aprueban los Presupuestos del Estado.

3. b) Inviolables.

4. d) Las Cortes Generales.

5. d) Las Cortes Generales.

6. a) El Congreso de los Diputados y el Senado.

7. d) Las Cortes Generales.

8. a) Con convocatoria reglamentaria.

9. d) No podrá ser miembro del Congreso de los Diputados y de una Asamblea de Comunidad Autónoma.

10. b) No están ligados por mandato imperativo.

11. b) Podrá acumular el acta de una Asamblea de Comunidad Autónoma con la de Senador.

12. a) No están ligados por mandato imperativo.

13. c) Un mínimo de 300 y un máximo de 400 Diputados.

14. b) La provincia.

15. b) Cada una de ellas por un Diputado.

B. Organización de la Comunitat Valenciana

TEST N.º 3

**El Estatuto de Autonomía de la Comunitat Valenciana: Título I,
La Comunitat Valenciana; Título II, De los derechos de los
valencianos y valencianas; Título III, La Generalitat**

1. El documento que elabora la comunidad educativa bajo la coordinación del equipo directivo de un centro y que contiene planteamientos organizativos y educativos de carácter general a largo plazo se denomina:

a) Programación didáctica.
b) Proyecto educativo.
c) Programación de aula.
d) Reglamento de Régimen Interior.

2. Les Corts designarán los Senadores que le correspondan para representar la Comunitat Valenciana de conformidad:

a) Con la Ley Electoral General Estatal.
b) Con el Reglamento de Les Corts.
c) Con la Ley de Designación de Senadores en representación de la Comunidad Autónoma.
d) Con la Ley Electoral Valenciana.

3. La Ley Electoral Valenciana precisará, para su aprobación:

a) 2/3 partes de Les Corts.
b) Mayoría absoluta de Les Corts.
c) 3/5 partes de Les Corts.
d) 2/5 partes de Les Corts.

4. Las leyes de la Generalitat serán publicadas:

a) En el Boletín Oficial del Estado, en las dos lenguas oficiales.
b) En el Diario Oficial de la Generalitat.

c) En el Boletín Oficial del Estado, en los quince días siguientes a su aprobación.
d) En el Diario Oficial de la Generalitat con carácter inmediato.

5. ¿Cuál de las siguientes no es función de Les Corts?

a) Exigir la responsabilidad política de un Conseller.
b) Controlar la acción del Consell.
c) Controlar parlamentariamente a la Administración que esté bajo la autoridad de la Generalitat.
d) Interponer recursos de inconstitucionalidad.

6. ¿Cuál de las siguientes no es función de Les Corts?

a) Crear comisiones especiales de investigación.
b) Nombrar al President de la Generalitat.
c) Aprobar las emisiones de deuda pública.
d) Solicitar al Gobierno del Estado la adopción de proyectos de ley.

7. La iniciativa legislativa de Les Corts será ejercida por:

a) Los grupos parlamentarios, exclusivamente.
b) Únicamente por los diputados y diputadas.
c) El Consell, los diputados y diputadas de Les Corts, y los grupos parlamentarios de Les Corts.
d) El Consell exclusivamente.

8. El Reglamento de Les Corts:

a) Es una norma de rango inferior a ley.
b) Es una norma de rango equivalente al Estatuto de Autonomía.
c) Es una norma administrativa.
d) Tiene rango de ley.

9. El aforamiento de un Diputado o Diputada de Les Corts:

a) Supone la inviolabilidad del mismo.
b) Se extiende a responsabilidad penal y civil.
c) Supone la inmunidad del mismo.
d) Supone que su responsabilidad penal o civil será exigida siempre ante el Tribunal Superior de Justicia de la Comunitat Valenciana.

10. El President de la Generalitat podrá disolver Les Corts:

a) En la forma que determine el Estatuto de Autonomía.
b) En la forma que determine la Ley del Consell.
c) En la forma que determine la Ley Electoral Valenciana.
d) En la forma que determine el Reglamento de Les Corts.

11. Para que Les Corts celebren sesiones en lugar distinto a su sede oficial:

a) Se precisará conformidad del Consell.
b) Se precisa decisión en tal sentido del Consell y de los órganos de gobierno de Les Corts.
c) Se necesita decisión en tal sentido del Presidente del Consell.
d) Se precisa decisión en tal sentido de los órganos de gobierno de Les Corts.

12. Para determinados efectos, el mandato de los Diputados de Les Corts concluye:

a) El día en que se convocan las elecciones.
b) El día en que se celebran las elecciones.
c) El día de antes al de celebración de las elecciones.
d) El día siguiente al que se convocan las elecciones.

13. Las sesiones del Pleno de Les Corts:

a) Tienen que ser públicas salvo en los supuestos en que la ley permita lo contrario.
b) Tienen que ser públicas.
c) Tienen que ser públicas salvo en los supuestos en que el Reglamento de Les Corts permita lo contrario.
d) Tienen que ser públicas salvo en las materias en que el Estatuto de Autonomía permite lo contrario.

14. La denominación del Título III del Estatuto de Autonomía es:

a) La Generalitat
b) Los órganos de la Generalitat.
c) El Gobierno de la Generalitat.
d) Instituciones de la Comunidad Valenciana.

15. Según el Estatuto de Autonomía, ¿qué número de votos deberá haber obtenido el partido, federación, agrupación de electores o coalición que se hayan presentado a las elecciones para poder ser proclamados diputados electos de Les Corts?

a) El 5 % de los votos de la Comunidad.
b) El 3 % de los votos de su circunscripción electoral.
c) El número de votos que determine la Ley Electoral Valenciana.
d) El 5 % de los votos de su circunscripción electoral.

En MADTEST tienes **más preguntas de este tema**, y todos tus avances quedan registrados y se reflejan en el ranking.

¡Supera tus límites con MADTEST!

Solución al test n.º 3

1. b) Proyecto educativo.

2. c) Con la Ley de Designación de Senadores en representación de la Comunidad Autónoma.

3. a) 2/3 partes de Les Corts.

4. b) En el Diario Oficial de la Generalitat.

5. a) Exigir la responsabilidad política de un Conseller.

6. b) Nombrar al President de la Generalitat.

7. c) El Consell, los diputados y diputadas de Les Corts, y los grupos parlamentarios de Les Corts.

8. d) Tiene rango de ley.

9. b) Se extiende a responsabilidad penal y civil.

10. b) En la forma que determine la Ley del Consell.

11. d) Se precisa decisión en tal sentido de los órganos de gobierno de Les Corts.

12. c) El día de antes al de celebración de las elecciones.

13. c) Tienen que ser públicas salvo en los supuestos en que el Reglamento de Les Corts permita lo contrario.

14. a) La Generalitat

15. c) El número de votos que determine la Ley Electoral Valenciana.

TEST N.º 4

La Ley 5/1983, de 30 de diciembre, del Consell: Título I, Del President de la Generalitat; Título II, Del Consell: Capítulo I, Del Consell y su composición; Capítulo II, De las atribuciones del Consell; Capítulo III, Del funcionamiento del Consell; Capítulo IV, De la Conselleria y de los Consellers; Capítulo V, Del Estatuto personal de los Consellers

1. La creación de las Secretarías Autonómicas se realizará por:

a) El President de la Generalitat.
b) El Consell.
c) El Consell a propuesta del President de la Generalitat.
d) El President de la Generalitat a propuesta del Consell.

2. En el funcionamiento del Consell, según la Ley del Consell, prima:

a) Su dirección administrativa.
b) Su dirección presidencial.
c) Su funcionamiento administrativo.
d) Sus decisiones colegiadas.

3. Que el President de la Generalitat tenga que ser miembro de Les Corts:

a) Lo establece así únicamente el Estatuto de Autonomía.
b) Lo establece así la CE (Constitución española) y el EA (Estatuto de Autonomía).
c) Lo establece así únicamente el EA y la Ley del Consell.
d) Lo establece únicamente la Ley del Consell.

4. ¿Cómo se realizará el debate del programa político de gobierno que proponga el candidato a la Presidencia de la Generalitat?

a) Conforme determina el Estatuto de Autonomía.
b) Conforme determina concretamente la Ley del Consell.

c) Conforme determina concretamente la modificación última de la Ley del Consell.
d) Conforme el Reglamento de Les Corts.

5. ¿Cuántas propuestas sucesivas puede realizar el Presidente de Les Corts a estas referente a la elección del President de la Generalitat?

a) No más de tres.
b) No más de dos.
c) No se dispone limitación ni en el EA ni en la Ley del Consell.
d) Las que disponga el Reglamento de Les Corts, tal como dispone la Ley del Consell.

6. La disolución de Les Corts por no haberse encontrado candidato a la Presidencia de la Generalitat será tomada:

a) Por acuerdo.
b) Por real decreto.
c) Por decreto ley.
d) Por decreto.

7. En el supuesto de disolución de Les Corts por no haberse encontrado candidato a la Presidencia de la Generalitat, la convocatoria de nuevas elecciones será hecha:

a) Por el President de la Generalitat en funciones.
b) Por el Consell en funciones.
c) Por el Presidente de Les Corts.
d) Por la Mesa de Les Corts.

8. ¿Cuál de las siguientes no es función del President de la Generalitat?

a) Fijar orden del día de las reuniones del Consell.
b) Firmar los decretos del Consell.
c) Levantar actas de las sesiones del Consell.
d) Coordinar la ejecución de los acuerdos del Consell.

9. Para que el President de la Generalitat pueda presentar ante Les Corts la cuestión de confianza, se precisará:

a) Deliberación del Consell.
b) Autorización del Consell.
c) Votación favorable del Consell por mayoría absoluta.
d) Acuerdo del Consell.

10. Los Consellers sin cartera:

a) Tendrán adscrita la Secretaría Autonómica de la Presidencia.
b) Podrán no tener adscritas Secretarías Autonómicas.
c) No tendrán adscritas Secretarías Autonómicas.
d) Tendrán sus correspondientes Secretarías Autonómicas.

11. ¿Cuál de las siguientes afirmaciones es cierta respecto a la elección por Les Corts del President de la Generalitat?

a) Rechazada la propuesta del primer candidato, el Presidente de Les Corts retomará la ronda de consultas.
b) El Presidente de Les Corts retomará la ronda de consultas si han transcurrido dos meses de la presentación del primer candidato.
c) Para que el Presidente de Les Corts retome la ronda de consultas será preciso que hayan sido rechazados sucesivamente dos candidatos que él haya presentado.
d) El Presidente de Les Corts no está obligado a retomar la ronda de consultas.

12. La proposición de candidato a President de la Generalitat se realizará por el Presidente de Les Corts:

a) Siempre que se hayan celebrados nuevas elecciones.
b) Solo cuando se hayan celebrado nuevas elecciones.
c) Cuando se hayan celebrado nuevas elecciones por determinado supuesto.
d) Siempre que se haya producido el cese del Presidente de la Generalitat.

13. Para la propuesta de President de la Generalitat por parte del Presidente de Les Corts tendrá preferencia:

a) El que haya obtenido mayor apoyo de los grupos políticos parlamentarios.
b) El que haya obtenido mayor número de diputados.
c) El que haya obtenido mayor número de votos populares.
d) El que haya desempeñado antes dicho cargo.

14. Para la proposición de candidato a la presidencia de la Generalitat el Presidente de Les Corts consultará a los representantes de:

a) Los partidos políticos.
b) Los grupos parlamentarios.
c) Los grupos políticos con representación en Les Corts.
d) Los grupos parlamentarios con representación en Les Corts.

15. En el supuesto de no elegirse President de la Generalitat, la disolución de Les Corts:

a) Podrá ser acordada por el Presidente de las mismas.

b) Será acordada por el President de la Generalitat en funciones a propuesta del Presidente de las mismas.

c) Será acordada por el Presidente de las mismas.

d) Será acordada por el President de la Generalitat en funciones a propuesta de la Mesa de las mismas.

En MADTEST tienes **más preguntas de este tema**, y todos tus avances quedan registrados y se reflejan en el ranking.

¡Supera tus límites con MADTEST!

Solución al test n.º 4

1. a) El President de la Generalitat.

2. b) Su dirección presidencial.

3. b) Lo establece así la CE (Constitución española) y el EA (Estatuto de Autonomía).

4. d) Conforme el Reglamento de Les Corts.

5. c) No se dispone limitación ni en el EA ni en la Ley del Consell.

6. a) Por acuerdo.

7. a) Por el President de la Generalitat en funciones.

8. c) Levantar actas de las sesiones del Consell.

9. a) Deliberación del Consell.

10. b) Podrán no tener adscritas Secretarías Autonómicas.

11. d) El Presidente de Les Corts no está obligado a retomar la ronda de consultas.

12. a) Siempre que se hayan celebrados nuevas elecciones.

13. a) El que haya obtenido mayor apoyo de los grupos políticos parlamentarios.

14. c) Los grupos políticos con representación en Les Corts.

15. c) Será acordada por el Presidente de las mismas.

TEST N.º 5

La Ley 5/1983, de 30 de diciembre, del Consell: Título III, De las relaciones entre el Consell y Les Corts; Título IV, De la Administración Pública de la Generalitat

1. La estructura administrativa de las Consellerias comprende:

a) Dos niveles jerárquicos.
b) Órganos superiores, nivel directivo y nivel administrativo.
c) Nivel político y nivel técnico.
d) Nivel central y nivel territorial.

2. Entre los órganos superiores de una Conselleria se encuentra:

a) El Director General.
b) El Secretario Autonómico.
c) El Subdirector General.
d) El Secretario General Administrativo.

3. Los Secretarios Autonómicos dependen jerárquicamente de:

a) Les Corts.
b) El President, Vicepresidentes o Consellers.
c) Los Directores Generales.
d) El Tribunal Superior de Justicia.

4. Los Secretarios Autonómicos tienen como función principal:

a) Coordinar los centros directivos bajo su dependencia.
b) Aprobar los presupuestos de la Conselleria.
c) Promulgar reglamentos.
d) Representar a la Generalitat ante el Estado.

5. El nivel directivo de las Consellerias incluye:

a) Consellers y Secretarios Autonómicos.
b) Subsecretarios y Directores Generales.
c) Secretarios Generales Administrativos.
d) Subdirecciones y secciones.

6. Entre las funciones de los Subsecretarios se encuentra:

a) Ejercer la jefatura del personal del departamento.
b) Aprobar leyes autonómicas.
c) Nombrar Directores Generales.
d) Promulgar reglamentos.

7. Los Subsecretarios también tienen funciones relacionadas con:

a) La aprobación de leyes.
b) La asistencia técnica al Conseller y órganos directivos.
c) La designación de cargos políticos.
d) La representación judicial del Consell.

8. Los Directores Generales:

a) Dirigen y gestionan los servicios de su Dirección General.
b) Dirigen la Administración de la Generalitat.
c) Nombran a los Subsecretarios.
d) Aprueban decretos legislativos.

9. Entre las funciones de los Directores Generales se encuentra:

a) Promulgar decretos del Consell.
b) Establecer el régimen interno de las oficinas dependientes.
c) Aprobar los presupuestos autonómicos.
d) Nombrar Secretarios Autonómicos.

10. El nivel administrativo de la estructura de las Consellerias incluye:

a) Subdirecciones generales, servicios, secciones, unidades y negociados.
b) Secretarios Autonómicos y Subsecretarios.
c) Vicepresidentes y Consellers.
d) Directores Generales y Subdirectores.

11. La Secretaría General Administrativa:

a) Depende directamente del Conseller.
b) Depende de la Subsecretaría.

c) Depende del Secretario Autonómico.
d) Depende del Director General.

12. En cada Conselleria:

a) Existe una única Secretaría General Administrativa.
b) Existen varias Secretarías Generales Administrativas.
c) Puede no existir Secretaría General Administrativa.
d) Existe una por cada Dirección General.

13. Territorialmente, los servicios centrales de las Consellerias:

a) Tienen competencia provincial.
b) Tienen competencia sobre todo el territorio de la Comunitat Valenciana.
c) Solo actúan en la capital autonómica.
d) Actúan únicamente en coordinación con el Estado.

14. Los servicios periféricos de las Consellerias son expresión del principio de:

a) Desconcentración administrativa.
b) Descentralización política.
c) Autonomía institucional.
d) Jerarquía administrativa.

15. La Administración Pública de la Generalitat actúa con:

a) Personalidad jurídica única.
b) Personalidad jurídica múltiple.
c) Personalidad jurídica compartida con el Estado.
d) Personalidad jurídica independiente por Conselleria.

En MADTEST tienes **más preguntas de este tema**, y todos tus avances quedan registrados y se reflejan en el ranking.

¡Supera tus límites con MADTEST!

Solución al test n.º 5

1. b) Órganos superiores, nivel directivo y nivel administrativo.

2. b) El Secretario Autonómico.

3. b) El President, Vicepresidentes o Consellers.

4. a) Coordinar los centros directivos bajo su dependencia.

5. b) Subsecretarios y Directores Generales.

6. a) Ejercer la jefatura del personal del departamento.

7. b) La asistencia técnica al Conseller y órganos directivos.

8. a) Dirigen y gestionan los servicios de su Dirección General.

9. b) Establecer el régimen interno de las oficinas dependientes.

10. a) Subdirecciones generales, servicios, secciones, unidades y negociados.

11. b) Depende de la Subsecretaría.

12. a) Existe una única Secretaría General Administrativa.

13. b) Tienen competencia sobre todo el territorio de la Comunitat Valenciana.

14. a) Desconcentración administrativa.

15. a) Personalidad jurídica única.

C. Materias Transversales

TEST N.º 6

La Ley Orgánica 3/2007, de 22 de marzo, para la igualdad efectiva de mujeres y hombres: Título preliminar, Objeto y ámbito de la Ley; Título I, El principio de igualdad y la tutela contra la discriminación. La Ley 9/2003, de 2 de abril, de la Generalitat, para la igualdad de mujeres y hombres. Ley 4/2023, de 28 de febrero, para la igualdad real y efectiva de las personas trans y para la garantía de los derechos de las personas LGTBI: Deber de protección; Medidas en el ámbito administrativo. La Ley Orgánica 1/2004, de 28 de diciembre, de medidas de protección integral contra la violencia de género: Título preliminar

1. Según el artículo 1 de la Ley Orgánica 1/2004, ¿sobre qué tipo de violencia actúa la ley?

a) Sobre cualquier tipo de violencia que se produzca dentro de la familia.
b) Sobre la violencia ejercida por hombres sobre mujeres en el ámbito laboral.
c) Sobre la violencia que, como manifestación de discriminación y desigualdad, ejercen los hombres sobre las mujeres en el ámbito de la pareja o expareja.
d) Exclusivamente sobre la violencia ejercida por desconocidos en espacios públicos.

2. ¿Quiénes pueden ser sujetos activos de la violencia de género según el artículo 1, de la LO 1/2004?

a) Cualquier persona que conviva con la mujer, sea cual sea su relación.
b) Únicamente el cónyuge actual de la mujer.
c) Cualquier hombre, aunque no exista relación afectiva con la mujer.
d) Quienes sean o hayan sido cónyuges o estén o hayan estado ligados a la mujer por relaciones similares de afectividad.

3. ¿Cuál es la finalidad principal de las medidas de protección integral establecidas por la LO 1/2004?

a) Regular el matrimonio y las relaciones de pareja.
b) Prevenir, sancionar y erradicar la violencia de género y prestar asistencia a las víctimas.

c) Reducir la carga de trabajo de los órganos judiciales.
d) Regular la actuación de las fuerzas y cuerpos de seguridad exclusivamente.

4. Según el artículo 1.2 de la LO 1/2004, además de las mujeres víctimas, ¿quiénes más son destinatarios de la asistencia prevista en la ley?

a) Únicamente los ascendientes de la mujer.
b) Sus hijos menores y los menores sujetos a su tutela, guarda o custodia.
c) Cualquier persona del entorno laboral de la víctima.
d) Únicamente los hermanos y hermanas de la mujer.

5. ¿Qué tipos de conductas incluye expresamente la violencia de género según el artículo 1 de la LO 1/2004?

a) Todo acto de violencia física y psicológica, incluidas agresiones a la libertad sexual, amenazas, coacciones o privación arbitraria de libertad.
b) Únicamente las agresiones físicas y sexuales.
c) Solo las agresiones físicas y los homicidios.
d) Solo las amenazas y las coacciones.

6. ¿Qué característica distingue la violencia sobre familiares o allegados menores de edad para que sea considerada violencia de género, según el artículo 1.4 de la LO 1/2004?

a) Que se ejerza en presencia de la mujer, con independencia del motivo.
b) Que tenga como objetivo causar perjuicio o daño a las mujeres.
c) Que se cometa dentro del domicilio familiar.
d) Que los menores sean mayores de 16 años.

7. En relación con el artículo 2 de la LO 1/2004, ¿qué tipo de medidas articula la ley para alcanzar sus fines?

a) Medidas exclusivamente penales.
b) Medidas administrativas aisladas y sectoriales.
c) Únicamente medidas de carácter educativo.
d) Un conjunto integral de medidas.

8. Según el artículo 2, letra a) de la LO 1/2004, uno de los fines de la ley es fortalecer las medidas de sensibilización ciudadana de prevención dotando a los poderes públicos de instrumentos eficaces en:

a) Exclusivamente el ámbito educativo.
b) Ámbitos educativo, servicios sociales, sanitario, publicitario y mediático.
c) En el sistema judicial y penitenciario.
d) Básicamente en el ámbito sanitario y policial.

9. ¿Qué persigue la Ley 1/2004 al "consagrar derechos de las mujeres víctimas de violencia de género" según la letra b) del artículo 2?

a) Garantizar un acceso rápido, transparente y eficaz a los servicios establecidos.
b) Limitar la intervención de las Administraciones Públicas.
c) Favorecer únicamente la reparación económica de las víctimas.
d) Reducir el número de recursos públicos disponibles.

10. Según la letra c) del artículo 2 de la LO 1/2004, a través de esta ley se articula un conjunto integral de medidas encaminadas a .... hasta la consecución de los mínimos exigidos por los objetivos de la ley los servicios sociales de información, de atención, de emergencia, de apoyo y de recuperación integral. ¿Qué palabra completa correctamente la frase anterior?

a) Garantizar.
b) Impulsar.
c) Proporcionar.
d) Reforzar.

11. ¿Qué objetivo tiene la garantía de derechos en el ámbito laboral y funcionarial recogida en el artículo 2 de la LO 1/2004?

a) Favorecer la movilidad geográfica forzosa de las víctimas.
b) Conciliar los requerimientos de la relación laboral y de empleo público con las circunstancias de las trabajadoras o funcionarias que sufran violencia de género.
c) Reducir la jornada laboral en toda la Administración.
d) Supeditar los derechos laborales a las necesidades de la empresa.

12. ¿Cuál es la finalidad de los derechos económicos garantizados por la LO 1/2004, según el artículo 2?

a) Compensar a las empresas por los costes derivados de la violencia de género.
b) Sustituir por completo cualquier otro tipo de ayuda pública.
c) Incrementar la recaudación tributaria del Estado.
d) Facilitar la integración social de las mujeres víctimas de violencia de género.

13. Según la letra f) del artículo 2 de la LO 1/2004, la tutela institucional se articula principalmente a través de:

a) La Administración General del Estado, mediante la Delegación Especial del Gobierno contra la Violencia sobre la Mujer, en colaboración con el Observatorio Estatal de la Violencia sobre la Mujer.
b) Las asociaciones privadas sin participación pública.
c) Los servicios sociales autonómicos.
d) Las fuerzas armadas y los cuerpos policiales internacionales.

14. ¿Qué se pretende al "fortalecer el marco penal y procesal vigente" según la letra g) del artículo 2 de la LO 1/2004?

a) Asegurar una protección integral desde las instancias jurisdiccionales a las víctimas de violencia de género.
b) Reducir el número de procedimientos judiciales en materia de violencia de género.
c) Limitar el acceso de las víctimas a los tribunales.
d) Sustituir la vía judicial por mecanismos extrajudiciales.

15. ¿Qué principio se pretende garantizar según el artículo 2 de la LO 1/2004?

a) El principio de jerarquía normativa en materia de violencia de género.
b) El principio de territorialidad de las medidas.
c) El principio de transversalidad de las medidas, atendiendo a las necesidades específicas de todas las mujeres víctimas de violencia de género.
d) El principio de neutralidad de género en la aplicación de la ley.

En MADTEST tienes **más preguntas de este tema**, y todos tus avances quedan registrados y se reflejan en el ranking.

¡Supera tus límites con MADTEST!

Solución al test n.º 6

1. c) Sobre la violencia que, como manifestación de discriminación y desigualdad, ejercen los hombres sobre las mujeres en el ámbito de la pareja o expareja.

2. d) Quienes sean o hayan sido cónyuges o estén o hayan estado ligados a la mujer por relaciones similares de afectividad.

3. b) Prevenir, sancionar y erradicar la violencia de género y prestar asistencia a las víctimas.

4. b) Sus hijos menores y los menores sujetos a su tutela, guarda o custodia.

5. a) Todo acto de violencia física y psicológica, incluidas agresiones a la libertad sexual, amenazas, coacciones o privación arbitraria de libertad.

6. b) Que tenga como objetivo causar perjuicio o daño a las mujeres.

7. d) Un conjunto integral de medidas.

8. b) Ámbitos educativo, servicios sociales, sanitario, publicitario y mediático.

9. a) Garantizar un acceso rápido, transparente y eficaz a los servicios establecidos.

10. d) Reforzar.

11. b) Conciliar los requerimientos de la relación laboral y de empleo público con las circunstancias de las trabajadoras o funcionarias que sufran violencia de género.

12. d) Facilitar la integración social de las mujeres víctimas de violencia de género.

13. a) La Administración General del Estado, mediante la Delegación Especial del Gobierno contra la Violencia sobre la Mujer, en colaboración con el Observatorio Estatal de la Violencia sobre la Mujer.

14. a) Asegurar una protección integral desde las instancias jurisdiccionales a las víctimas de violencia de género.

15. c) El principio de transversalidad de las medidas, atendiendo a las necesidades específicas de todas las mujeres víctimas de violencia de género.

TEST N.º 7

Ley 19/2013, de 9 de diciembre, de transparencia, acceso a la información pública y buen gobierno: Título I, Transparencia de la actividad pública: Capítulo III, Derecho de acceso a la información pública

1. El Portal de la Transparencia contendrá información publicada de acuerdo con las prescripciones técnicas que se establezcan reglamentariamente que deberán adecuarse a los siguientes principios. Señala la respuesta incorrecta:

a) Accesibilidad.
b) Interoperabilidad.
c) Control.
d) Reutilización.

2. ¿Qué título de la Ley 19/2013 regula todo lo relativo a la "Transparencia de la actividad pública"?

a) Título I.
b) Título II.
c) Título III.
d) Título IV.

3. El cumplimiento de las obligaciones derivadas de la Ley 19/2013, de 9 de diciembre, de transparencia, acceso a la información pública y buen gobierno, podrá realizarse utilizando los medios electrónicos puestos a su disposición por la Administración Pública de la que provenga la mayor parte de las ayudas o subvenciones públicas percibidas cuando se trate de entidades sin ánimo de lucro que persigan exclusivamente fines de interés social o cultural y cuyo presupuesto sea inferior a:

a) 50.000 euros.
b) 100.000 euros.
c) 200.000 euros.
d) 250.000 euros.

4. Según lo previsto en el artículo 18 de la Ley 19/2013, de 9 de diciembre, de transparencia, acceso a la información pública y buen gobierno, se inadmitirán a trámite, mediante resolución motivada, las solicitudes de acceso a la información:

a) Relativas a los intereses económicos y turísticos.
b) Relativas a la garantía de la confidencialidad o el secreto requerido en procesos de toma de decisión.
c) Relativas a información para cuya divulgación sea necesaria una acción previa de reelaboración.
d) Relativas a infraestructuras críticas.

5. El acceso a la información pública requiere:

a) Solicitud previa.
b) Acreditación de la condición de interesado.
c) Motivación expresa.
d) La utilización de medios telemáticos.

6. Cuando la información pública solicitada no contuviera datos especialmente protegidos, el órgano al que se dirija la solicitud concederá el acceso previa .... suficientemente razonada del interés público en la divulgación de la información y los derechos de los afectados cuyos datos aparezcan en la información solicitada, en particular su derecho fundamental a la protección de datos de carácter personal. Señala la palabra que falta:

a) Catalogación.
b) Acreditación.
c) Ponderación.
d) Identificación.

7. La Ley 19/2013 destaca tres ejes fundamentales de toda acción política. Señala cuál de los siguientes no es correcto:

a) La transparencia.
b) El acceso a la información pública.
c) Las normas de buen gobierno.
d) Las incompatibilidades.

8. Según la Ley 19/2013, de 9 de diciembre, de Transparencia, Acceso a la Información Pública y Buen Gobierno, el derecho de acceso podrá ser limitado cuando acceder a la información suponga un perjuicio para:

a) La seguridad pública.
b) La igualdad de las partes en los procesos judiciales y la tutela judicial efectiva.
c) La política económica y monetaria.
d) Todo lo anterior.

9. La motivación de una solicitud de acceso a la información, según la Ley 19/2013:

a) Es requisito ineludible para que se facilite la información.
b) Será causa de rechazo de la solicitud.
c) Las dos respuestas anteriores son ciertas.
d) Se deja a la decisión del solicitante.

10. Conforme al artículo 18.1 de la Ley 19/2013, las solicitudes referidas a información que tenga carácter auxiliar o de apoyo como la contenida en notas, borradores, opiniones, resúmenes, comunicaciones e informes internos o entre órganos o entidades administrativas:

a) Están obligadas a indicar el motivo de la solicitud.
b) Se admitirán previa ponderación suficientemente razonada del interés público en la divulgación de la información.
c) Se inadmitirán a trámite, mediante resolución motivada.
d) Se entenderán dotadas de un carácter abusivo no justificado con la finalidad de transparencia de esta Ley.

11. Señala la opción incorrecta. El derecho de acceso a la información pública podrá ser limitado cuando acceder a la información suponga un perjuicio para:

a) Los intereses económicos y comerciales.
b) La garantía de la confidencialidad o el secreto requerido en procesos de toma de decisión.
c) El honor de los funcionarios o cargos directivos.
d) La protección del medio ambiente.

12. Señala la opción incorrecta. La solicitud de acceso a la información pública podrá presentarse por cualquier medio que permita tener constancia de:

a) La identidad del solicitante.
b) La información que se solicita.
c) Una dirección de contacto, preferentemente electrónica, a efectos de comunicaciones.
d) La motivación de la solicitud.

13. No es una causa de inadmisión de las solicitudes de acceso a la información pública:

a) Que se refieran a información que esté en curso de elaboración o de publicación general.
b) Que se dirijan a un órgano en cuyo poder no obre la información.
c) Que sean manifiestamente repetitivas.
d) Que se refieran a información para cuya divulgación sea necesaria una acción previa de reelaboración.

14. Frente a toda resolución expresa o presunta en materia de acceso podrá interponerse una reclamación ante el Consejo de Transparencia y Buen Gobierno, con carácter potestativo y previo a su impugnación en vía contencioso-administrativa. El plazo máximo para resolver y notificar la resolución será de:

a) 15 días.
b) 1 mes.
c) 3 meses.
d) 6 meses.

15. Frente a toda resolución expresa o presunta en materia de acceso a la información pública podrá interponerse, con carácter potestativo y previo a su impugnación en vía contencioso-administrativa, una reclamación ante:

a) La Inspección de Servicios del Departamento correspondiente.
b) La Inspección de Servicios del Ministerio para la Transformación Digital y de la Función Pública.
c) El Consejo de Transparencia y Buen Gobierno.
d) El Instituto para la Evaluación de las Políticas Públicas.

En MADTEST tienes **más preguntas de este tema**, y todos tus avances quedan registrados y se reflejan en el ranking.

¡Supera tus límites con MADTEST!

Solución al test n.º 7

1. c) Control.

2. a) Título I.

3. a) 50.000 euros.

4. c) Relativas a información para cuya divulgación sea necesaria una acción previa de reelaboración.

5. a) Solicitud previa.

6. c) Ponderación.

7. d) Las incompatibilidades.

8. d) Todo lo anterior.

9. d) Se deja a la decisión del solicitante.

10. c) Se inadmitirán a trámite, mediante resolución motivada.

11. c) El honor de los funcionarios o cargos directivos.

12. d) La motivación de la solicitud.

13. b) Que se dirijan a un órgano en cuyo poder no obre la información.

14. c) 3 meses.

15. c) El Consejo de Transparencia y Buen Gobierno.

A. Derecho Administrativo

TEST N.º 1

La Ley 39/2015, de 1 de octubre, del procedimiento administrativo común de las administraciones públicas: Título Preliminar, Disposiciones generales; Título I, De los interesados en el procedimiento; Título II, De la actividad de las Administraciones Públicas

1. De acuerdo con el artículo 13 de la Ley 39/2015, de 1 de octubre, de Procedimiento Administrativo Común de las Administraciones Públicas, las personas que tienen capacidad de obrar conforme al artículo 3 de la Ley 39/2015, de 1 de octubre, de Procedimiento Administrativo Común de las Administraciones Públicas, en sus relaciones con las Administraciones Públicas, tienen los siguientes derechos:

a) A obtener información y confección de los documentos jurídicos o técnicos que las disposiciones vigentes impongan a los proyectos, actuaciones o solicitudes que se propongan realizar.

b) Al acceso a los registros y archivos de las Administraciones Públicas en los términos previstos en la Constitución y en la Ley 30/1992, de 26 de noviembre.

c) A ser tratados con respeto e indiferencia por las autoridades y funcionarios, que habrán de facilitarles el ejercicio de sus derechos y el cumplimiento de sus obligaciones.

d) Al acceso a la información pública, archivos y registros de acuerdo con lo previsto en la Ley 19/2013, de 9 de diciembre, de transparencia, acceso a la información pública y buen gobierno y el resto del Ordenamiento Jurídico.

2. En relación con la lengua de los procedimientos, señala la afirmación falsa; de acuerdo con el artículo 15 de la Ley 39/2015, de 1 de octubre, de Procedimiento Administrativo Común de las Administraciones Públicas:

a) La lengua de los procedimientos tramitados por la Administración General del Estado será el español.

b) Los interesados que se dirijan a los órganos de la Administración General del Estado con sede en el territorio de una Comunidad Autónoma podrán utilizar también la lengua que sea cooficial en ella.

c) En los procedimientos tramitados por las Administraciones de las Comunidades Autónomas y de las Entidades Locales, el uso de la lengua se ajustará a lo previsto en la legislación autonómica correspondiente.

d) La Administración pública instructora deberá traducir al castellano los documentos, expedientes o partes de los mismos que deban surtir efecto fuera del territorio de la Comunidad Autónoma y los documentos dirigidos a los interesados que así lo soliciten expresamente. Si debieran surtir efectos en el territorio de una Comunidad Autónoma donde sea cooficial esa misma lengua distinta del castellano, no será precisa su traducción.

3. Conforme al artículo 19.1 de la Ley 39/2015, de 1 de octubre, de Procedimiento Administrativo Común de las Administraciones Públicas, la comparecencia de los ciudadanos ante las oficinas públicas solo será obligatoria cuando así esté previsto en una norma con rango de:

a) Ley.
b) Decreto.
c) Orden.
d) Instrucción.

4. Señale la respuesta incorrecta. La Administración está obligada a dictar resolución expresa en todos los procedimientos y a notificarla cualquiera que sea su forma de iniciación. En los casos de prescripción, renuncia del derecho, caducidad del procedimiento o desistimiento de la solicitud, así como la desaparición sobrevenida del objeto del procedimiento, la resolución consistirá, conforme al artículo 21.1 de la Ley 39/2015, de 1 de octubre, de Procedimiento Administrativo Común de las Administraciones Públicas:

a) En la declaración de la circunstancia que concurra en cada caso.
b) Con indicación de los hechos producidos.
c) Con indicación de las normas aplicables.
d) Con indicación de las pruebas practicadas.

5. La Administración está obligada a dictar resolución expresa en todos los procedimientos y a notificarla cualquiera que sea su forma de iniciación. Se exceptúan de esta obligación, de acuerdo con el artículo 21.1 de la Ley 39/2015, de 1 de octubre, de Procedimiento Administrativo Común de las Administraciones Públicas:

a) Los supuestos de terminación del procedimiento por pacto o convenio.
b) Los procedimientos relativos al ejercicio de derechos sometidos únicamente al deber de declaración responsable o comunicación a la Administración.
c) Los procedimientos sancionadores.
d) Las respuestas a) y b) son correctas.

6. Señala la opción incorrecta conforme al artículo 21.2 de la Ley 39/2015, de 1 de octubre, de Procedimiento Administrativo Común de las Administraciones Públicas. El plazo máximo en el que debe notificarse la resolución expresa será:

a) El fijado por la norma reguladora del correspondiente procedimiento.

b) No podrá exceder de seis meses salvo que una norma con rango de ley establezca uno mayor.

c) No podrá exceder de seis meses salvo que venga previsto en la normativa comunitaria europea.

d) Será de tres meses.

7. De acuerdo con el artículo 21.3.a) de la Ley 39/2015, de 1 de octubre, de Procedimiento Administrativo Común de las Administraciones Públicas, el plazo máximo en el que debe notificarse la resolución expresa se contarán en los procedimientos iniciados de oficio:

a) Desde la fecha del acuerdo de iniciación.

b) Desde la fecha en que la solicitud haya tenido entrada en el registro del órgano competente para su tramitación.

c) Desde la fecha en que la solicitud haya tenido entrada en el registro del órgano receptor de la solicitud.

d) Desde la fecha de notificación del acuerdo de iniciación.

8. El plazo máximo en el que debe notificarse la resolución expresa se contarán en los procedimientos a solicitud del interesado:

a) Desde la fecha del acuerdo de iniciación.

b) Desde la fecha en que la solicitud haya tenido entrada en el registro del órgano competente para su tramitación o desde la fecha en que la solicitud haya tenido entrada en el registro electrónico de la Administración u Organismo competente para su tramitación.

c) Desde la fecha en que la solicitud haya tenido entrada en el registro del órgano receptor de la solicitud.

d) Desde la fecha de notificación del acuerdo de iniciación.

9. En todo caso, las Administraciones Públicas informarán a los interesados del plazo máximo normativamente establecido para la resolución y notificación de los procedimientos, así como de los efectos que pueda producir el silencio administrativo, incluyendo dicha mención en la notificación o publicación del acuerdo de iniciación de oficio, o en comunicación que se les dirigirá al efecto dentro de:

a) Los diez días siguientes a la recepción de la solicitud en el registro del órgano competente para su tramitación.

b) Los diez días siguientes a la recepción de la solicitud en el registro del órgano receptor.

c) Los diez días naturales siguientes a la recepción de la solicitud en el registro del órgano competente para su tramitación o en el registro electrónico de la Administración u Organismo competente para su tramitación.

d) Los diez días naturales siguientes a la recepción de la solicitud en el registro del órgano receptor.

10. Señala la respuesta incorrecta. De acuerdo con el artículo 22 de la Ley 39/2015, de 1 de octubre, de Procedimiento Administrativo Común de las Administraciones Públicas, el transcurso del plazo máximo legal para resolver un procedimiento y notificar la resolución se podrá suspender en los siguientes casos:

a) Cuando deba requerirse a cualquier interesado para la subsanación de deficiencias y la aportación de documentos y otros elementos de juicio necesarios, por el tiempo que medie entre la notificación del requerimiento y su efectivo cumplimiento por el destinatario, o, en su defecto, el transcurso del plazo concedido, todo ello sin perjuicio de lo previsto en el artículo 68 de la Ley 39/2015, de 1 de octubre.

b) Cuando deba obtenerse un pronunciamiento previo y preceptivo de un órgano de la Unión Europea, por el tiempo que medie entre la petición, que habrá de comunicarse a los interesados, y la notificación del pronunciamiento a la Administración instructora, que también deberá serles comunicada.

c) Cuando deban solicitarse informes que sean preceptivos y determinantes del contenido de la resolución a órgano de la misma o distinta Administración, por el tiempo que medie entre la petición, que deberá comunicarse a los interesados, y la recepción del informe, que igualmente deberá ser comunicada a los mismos. Este plazo de suspensión no podrá exceder en ningún caso de tres meses.

d) Cuando los interesados promuevan la recusación en cualquier momento de la tramitación de un procedimiento.

11. Conforme al artículo 24.1 de la Ley 39/2015, de 1 de octubre, de Procedimiento Administrativo Común de las Administraciones Públicas, en los procedimientos iniciados a solicitud del interesado, sin perjuicio de la resolución que la Administración debe dictar, el vencimiento del plazo máximo sin haberse notificado resolución expresa legitima al interesado o interesados que hubieran deducido la solicitud para entenderla:

a) Desestimada por silencio administrativo, excepto en los supuestos en los que una norma con rango de ley por razones imperiosas de interés general o una norma de Derecho de la Unión Europea establezcan lo contrario.

b) Estimada por silencio administrativo, excepto en los supuestos en los que una norma con rango de ley por razones imperiosas de interés general o una norma de Derecho comunitario establezcan lo contrario.

c) Caducada por silencio administrativo, excepto en los supuestos en los que una norma con rango de ley por razones imperiosas de interés general o una norma de la Unión Europea o de Derecho Internacional aplicable en España establezcan lo contrario.

d) Prescrita por silencio administrativo, excepto en los supuestos en los que una norma con rango de ley por razones imperiosas de interés general o una norma de la Unión Europea o de Derecho Internacional aplicable en España establezcan lo contrario.

12. Señala la respuesta incorrecta. Asimismo, de acuerdo con el artículo 24.1.de la Ley 39/2015, de 1 de octubre, de Procedimiento Administrativo Común de las Administraciones Públicas el silencio tendrá efecto desestimatorio en los procedimientos:

a) Relativos al ejercicio del derecho de petición, a que se refiere el artículo 29 de la Constitución,

b) Aquellos cuya estimación tuviera como consecuencia que se transfirieran al solicitante o a terceros facultades relativas al dominio público o al servicio público.

c) Los procedimientos de impugnación de actos y disposiciones.

d) Cuando el recurso de alzada se haya interpuesto contra la desestimación por silencio administrativo de una solicitud por el transcurso del plazo, llegado el plazo de resolución, el órgano administrativo competente no dictase y notificase resolución expresa.

13. La obligación de dictar resolución expresa a que se refiere el apartado primero del artículo 21 de la Ley 39/2015, de 1 de octubre, de Procedimiento Administrativo Común de las Administraciones Públicas, se sujetará al siguiente régimen:

a) En los casos de estimación por silencio administrativo, la resolución expresa posterior a la producción del acto se adoptará por la Administración sin vinculación alguna al sentido del silencio.

b) En los casos de desestimación por silencio administrativo, la resolución expresa posterior al vencimiento del plazo solo podrá dictarse de ser confirmatoria del mismo.

c) En los casos de desestimación por silencio administrativo, la resolución expresa posterior al vencimiento del plazo se adoptará por la Administración sin vinculación alguna al sentido del silencio.

d) Prescrita por silencio administrativo, excepto en los supuestos en los que una norma con rango de ley por razones imperiosas de interés general o una norma de la Unión Europea o de Derecho Internacional aplicable en España establezcan lo contrario.

14. En los procedimientos iniciados de oficio, el vencimiento del plazo máximo establecido sin que se haya dictado y notificado resolución expresa, produce los siguientes efectos, en el caso de procedimientos de los que pudiera derivarse el reconocimiento o, en su caso, la constitución de derechos u otras situaciones jurídicas favorable:

a) Desestimada por silencio administrativo.

b) Estimada por silencio administrativo.

c) Caducada por silencio administrativo.

d) Prescrita por silencio administrativo, excepto en los supuestos en los que una norma con rango de ley por razones imperiosas de interés general o una norma de la Unión Europea o de Derecho Internacional aplicable en España establezcan lo contrario.

15. En los procedimientos en que la Administración ejercite potestades sancionadoras o, en general, de intervención, susceptibles de producir efectos desfavorables o de gravamen, se producirá de acuerdo con el artículo 25 de la Ley 39/2015, de 1 de octubre, de Procedimiento Administrativo Común de las Administraciones Públicas:

a) Desestimación por silencio administrativo.

b) Estimación por silencio administrativo.

c) Caducidad por silencio administrativo.

d) Prescrita por silencio administrativo, excepto en los supuestos en los que una norma con rango de ley por razones imperiosas de interés general o una norma de la Unión Europea o de Derecho Internacional aplicable en España establezcan lo contrario.

En MADTEST tienes **más preguntas de este tema**, y todos tus avances quedan registrados y se reflejan en el ranking.

¡Supera tus límites con MADTEST!

Solución al test n.º 1

1. d) Al acceso a la información pública, archivos y registros de acuerdo con lo previsto en la Ley 19/2013, de 9 de diciembre, de transparencia, acceso a la información pública y buen gobierno y el resto del Ordenamiento Jurídico.

2. a) La lengua de los procedimientos tramitados por la Administración General del Estado será el español.

3. a) Ley.

4. d) Con indicación de las pruebas practicadas.

5. d) Las respuestas a) y b) son correctas.

6. d) Será de tres meses.

7. a) Desde la fecha del acuerdo de iniciación.

8. b) Desde la fecha en que la solicitud haya tenido entrada en el registro del órgano competente para su tramitación o desde la fecha en que la solicitud haya tenido entrada en el registro electrónico de la Administración u Organismo competente para su tramitación.

9. a) Los diez días siguientes a la recepción de la solicitud en el registro del órgano competente para su tramitación.

10. d) Cuando los interesados promuevan la recusación en cualquier momento de la tramitación de un procedimiento.

11. b) Estimada por silencio administrativo, excepto en los supuestos en los que una norma con rango de ley por razones imperiosas de interés general o una norma de Derecho comunitario establezcan lo contrario.

12. d) Cuando el recurso de alzada se haya interpuesto contra la desestimación por silencio administrativo de una solicitud por el transcurso del plazo, llegado el plazo de resolución, el órgano administrativo competente no dictase y notificase resolución expresa.

13. c) En los casos de desestimación por silencio administrativo, la resolución expresa posterior al vencimiento del plazo se adoptará por la Administración sin vinculación alguna al sentido del silencio.

14. a) Desestimada por silencio administrativo.

15. c) Caducidad por silencio administrativo.

TEST N.º 2

La Ley 39/2015, de 1 de octubre, del procedimiento administrativo común de las administraciones públicas: Título III, De los actos administrativos: Capítulo I, Requisitos de los actos administrativos; Capítulo II, Eficacia de los actos. La Ley 40/2015, de 1 de octubre, de régimen jurídico del sector público: Título Preliminar: Capítulo II, De los órganos de las Administraciones Públicas: Sección 1ª, De los órganos administrativos; Sección 2ª, Competencia

1. Las Administraciones públicas:

a) No pueden dictar actos administrativos.
b) Pueden dictar actos administrativos.
c) Solamente pueden dictar actos administrativos de forma excepcional.
d) Solo pueden dictar resoluciones administrativas.

2. Los actos administrativos que dicten las Administraciones públicas se producirán por el órgano competente ajustándose a los requisitos y al procedimiento establecido:

a) Y siempre se dictan de oficio.
b) Y siempre se dictan a instancia de parte.
c) Dictados de oficio o a instancia de parte.
d) Solo cuando así se considere necesario.

3. Serán motivados, con sucinta referencia de hechos y fundamentos de derecho:

a) Los actos que limiten derechos subjetivos o intereses legítimos.
b) Los acuerdos de aplicación de la tramitación de urgencia, de ampliación de plazos y de realización de actuaciones complementarias.
c) Los actos que rechacen pruebas propuestas por los interesados.
d) Todas las respuestas anteriores son correctas.

4. Serán motivados, con sucinta referencia de hechos y fundamentos de derecho:

a) Los actos que acuerden la terminación del procedimiento por la imposibilidad material de continuarlo por causas sobrevenidas, así como los que acuerden el desistimiento por la Administración en procedimientos iniciados de oficio.

b) Las propuestas de resolución en los procedimientos de carácter sancionador, así como los actos que resuelvan procedimientos de carácter sancionador o de responsabilidad patrimonial.

c) Los actos que se dicten en el ejercicio de potestades discrecionales, así como los que deban serlo en virtud de disposición legal o reglamentaria expresa.

d) Todas las respuestas anteriores son correctas.

5. Los acuerdos de aplicación de la tramitación de urgencia, de ampliación de plazos y de realización de actuaciones complementarias:

a) Serán motivados, con sucinta referencia de hechos y fundamentos de derecho.

b) No es necesario que se motiven.

c) Serán motivados con la justificación de los hechos.

d) Serán motivados con la justificación de los fundamentos de derecho.

6. Los actos que rechacen pruebas propuestas por los interesados:

a) Serán motivados, con sucinta referencia de hechos y fundamentos de derecho.

b) No es necesario que se motiven.

c) Serán motivados con la justificación de los hechos.

d) Serán motivados con la justificación de los fundamentos de derecho.

7. La motivación de los actos que pongan fin a los procedimientos selectivos y de concurrencia competitiva se realizará de conformidad con lo que dispongan las normas que regulen sus convocatorias:

a) Debiendo, en todo caso, quedar acreditados en el procedimiento los fundamentos de la resolución que se adopte.

b) Se recomienda la acreditación en el procedimiento de los fundamentos de la resolución que se adopte.

c) No es necesaria la acreditación en el procedimiento de los fundamentos de la resolución que se adopte.

d) Son correctas las respuestas b) y c).

8. Dispone la norma que los actos administrativos se producirán:

a) Oralmente, de forma habitual.

b) Por escrito o de forma oral.

c) Por escrito a través de medios electrónicos, a menos que su naturaleza exija otra forma más adecuada de expresión y constancia.

d) Por escrito en documento papel.

9. En los casos en que los órganos administrativos ejerzan su competencia de forma verbal:

a) La constancia escrita del acto, cuando sea necesaria, se efectuará y firmará por el titular del órgano inferior o funcionario que la reciba oralmente, expresando en la comunicación del mismo la autoridad de la que procede.
b) No se requiere de constancia escrito del mismo.
c) La constancia escrita del acto, cuando sea necesaria, se efectuará y firmará por el titular del órgano o funcionario que la emita oralmente.
d) La constancia escrita deberá constar en todo caso.

10. Cuando deba dictarse una serie de actos administrativos de la misma naturaleza, tales como nombramientos, concesiones o licencias:

a) Deben constar en actos separados.
b) Podrán refundirse en un único acto, acordado por el órgano competente, que especificará las personas u otras circunstancias que individualicen los efectos del acto para cada interesado.
c) Podrán constar en un único acto en el que conste la información de forma generalizada.
d) Podrán refundirse en tantos actos como tipos de actos consten.

11. Cuando se deban dictar nombramientos y concesiones administrativos, de la misma naturaleza:

a) Deben constar en actos separados.
b) Podrán refundirse en un único acto, acordado por el órgano competente, que especificará las personas u otras circunstancias que individualicen los efectos del acto para cada interesado.
c) Podrán constar en un único acto en el que conste la información de forma generalizada.
d) Podrán refundirse en tantos actos como tipos de actos consten.

12. Cuando se deban dictar licencias y concesiones administrativas, de la misma naturaleza:

a) Deben constar en actos separados.
b) Podrán refundirse en un único acto, acordado por el órgano competente, que especificará las personas u otras circunstancias que individualicen los efectos del acto para cada interesado.
c) Podrán constar en un único acto en el que conste la información de forma generalizada.
d) Podrán refundirse en tantos actos como tipos de actos consten.

13. Las resoluciones administrativas de carácter particular:

a) No podrán vulnerar lo establecido en una disposición de carácter general.
b) Podrán vulnerar lo establecido en una disposición de carácter general.
c) No tienen por qué respetar lo establecido en una disposición de carácter general.
d) Pueden generalizarse.

14. Las resoluciones administrativas de carácter particular no podrán vulnerar lo establecido en una disposición de carácter general:

a) Aunque aquellas procedan de un órgano de igual o superior jerarquía al que dictó la disposición general.
b) Solo se permite si el órgano que dictó la resolución es de igual jerarquía.
c) Solo se permite si el órgano que dictó la resolución es de jerarquía superior.
d) Solo se permite si el órgano que dictó la resolución es de jerarquía inferior.

15. Las resoluciones administrativas que vulneren lo establecido en una disposición reglamentaria:

a) Son válidas.
b) Son convalidables.
c) Son nulas.
d) Son ineficaces.

En MADTEST tienes **más preguntas de este tema**, y todos tus avances quedan registrados y se reflejan en el ranking.

¡Supera tus límites con MADTEST!

Solución al test n.º 2

1. b) Pueden dictar actos administrativos.

2. c) Dictados de oficio o a instancia de parte.

3. d) Todas las respuestas anteriores son correctas.

4. d) Todas las respuestas anteriores son correctas.

5. a) Serán motivados, con sucinta referencia de hechos y fundamentos de derecho.

6. a) Serán motivados, con sucinta referencia de hechos y fundamentos de derecho.

7. a) Debiendo, en todo caso, quedar acreditados en el procedimiento los fundamentos de la resolución que se adopte.

8. c) Por escrito a través de medios electrónicos, a menos que su naturaleza exija otra forma más adecuada de expresión y constancia.

9. a) La constancia escrita del acto, cuando sea necesaria, se efectuará y firmará por el titular del órgano inferior o funcionario que la reciba oralmente, expresando en la comunicación del mismo la autoridad de la que procede.

10. b) Podrán refundirse en un único acto, acordado por el órgano competente, que especificará las personas u otras circunstancias que individualicen los efectos del acto para cada interesado.

11. b) Podrán refundirse en un único acto, acordado por el órgano competente, que especificará las personas u otras circunstancias que individualicen los efectos del acto para cada interesado.

12. b) Podrán refundirse en un único acto, acordado por el órgano competente, que especificará las personas u otras circunstancias que individualicen los efectos del acto para cada interesado.

13. a) No podrán vulnerar lo establecido en una disposición de carácter general.

14. a) Aunque aquellas procedan de un órgano de igual o superior jerarquía al que dictó la disposición general.

15. c) Son nulas.

B. Función Pública

TEST N.º 3

La Ley 4/2021, de 16 de abril, de la Función Pública Valenciana: Título I, Objeto, principios y ámbito de aplicación de la Ley; Título VI, Derechos, deberes e incompatibilidades del personal empleado público; Título X, Régimen disciplinario: Capítulo I, Disposiciones generales; Capítulo II, Infracciones y sanciones disciplinarias

1. Según el artículo 2 de la Ley 4/2021, uno de los principios informadores de esta ley es la objetividad, profesionalidad, transparencia, integridad, imparcialidad y:

a) Austeridad.
b) Jerarquía.
c) Coordinación.
d) Participación.

2. Sin perjuicio de que puedan dictarse disposiciones reglamentarias específicas para adecuarla a las peculiaridades propias del sector, la Ley 4/2021 se aplicará:

a) Al personal investigador al servicio de la Generalitat.
b) Al personal funcionario o laboral empleado público gestionado por la conselleria competente en materia de sanidad.
c) Al personal al servicio de las Corts Valencianes.
d) Los consorcios adscritos a la Generalitat.

3. ¿Cuáles son los dos tipos de funcionarios que contempla la Ley 4/2021, de 16 de abril, de la Función Pública Valenciana?

a) Fijos y temporales.
b) Civiles y militares.
c) De carrera e interinos.
d) Profesionales y de prácticas.

4. Según el artículo 18 de la Ley 4/2021, una de las circunstancias que puede dar lugar al nombramiento de personal interino es:

a) La existencia de puestos de trabajo vacantes cuando no sea posible su cobertura por personal funcionario de carrera, por un máximo de dos años.
b) La sustitución transitoria de la persona titular de un puesto de trabajo, durante un máximo de seis meses.
c) La ejecución de programas de carácter temporal, con una duración, en ningún caso, superior a dos años.
d) El exceso o acumulación de tareas, de carácter excepcional y circunstancial, por un plazo máximo de nueve meses dentro de un período de dieciocho meses.

5. Los funcionarios interinos serán nombrados por razones expresamente justificadas de necesidad y:

a) Economía.
b) Eficacia.
c) Urgencia.
d) Calidad.

6. El personal laboral al servicio de la Administración de la Generalitat Valenciana no puede desempeñar puestos:

a) Correspondientes a áreas de actividades que requieran conocimientos técnicos especializados.
b) En el extranjero con funciones administrativas de trámite y colaboración y auxiliares, aunque comporten manejo de máquinas, archivo y similares.
c) Cuyas actividades sean propias de oficios.
d) Que impliquen la participación directa o indirecta en la salvaguardia de los intereses generales del Estado y de las Administraciones Públicas.

7. En relación al personal eventual al servicio de la Generalitat Valenciana, es cierto que:

a) La prestación de servicios como personal eventual constituirá mérito para el acceso al empleo público.
b) El personal eventual puede realizar actividades ordinarias de gestión o de carácter técnico.
c) Realiza con carácter permanente funciones expresamente calificadas como de confianza o asesoramiento especial.
d) Cesará automáticamente cuando cese la autoridad a la que presta su función asesora o de confianza.

8. El número de puestos en la Administración de la Generalitat Valenciana cubiertos por personal eventual:

a) Es indefinido e ilimitado.
b) Está limitado por un máximo establecido por el Consell.
c) Está limitado a tres por cada órgano superior de la Administración Pública.
d) No puede hacerse público, puesto que se trata de personal de confianza.

9. En relación al acceso de personal funcionario de carrera a la Dirección Pública Profesional en la Administración de la Generalitat, es cierto que:

a) Solo podrán acceder quienes pertenezcan a cualquiera de los cuerpos o escalas del Grupo A.
b) Es necesario tener una antigüedad en el Grupo A de al menos 10 años.
c) Es imprescindible ser personal funcionario de carrera de la Administración de la Generalitat.
d) Se requiere tener reconocido, al menos, un nivel competencial 24 y el grado de desarrollo profesional II.

10. No es cierto que, la relación de puestos de trabajo específica de la Dirección Pública Profesional:

a) Se incluirá en la misma relación con la totalidad de puestos de trabajo de naturaleza funcionarial, laboral y eventual.
b) Tendrá carácter público.
c) Será publicada en el Diari Oficial de la Generalitat Valenciana.
d) No es materia obligatoria de negociación colectiva.

11. Conforme a la regulación de la responsabilidad disciplinaria, ¿en qué supuesto puede incurrir en responsabilidad el personal empleado público?

a) Cuando realice, en el ejercicio de sus funciones, una conducta tipificada como falta.
b) Cuando discrepe verbalmente de una instrucción sin afectar al servicio.
c) Cuando solicite información sobre sus derechos profesionales.
d) Cuando participe en actividades formativas voluntarias fuera de la jornada.

12. Si una persona empleada pública induce directamente a otra a realizar una conducta tipificada como falta, ¿qué consecuencia prevé la Ley 4/2021?

a) Queda exenta de responsabilidad si no ejecuta materialmente la conducta.
b) Responde disciplinariamente en los términos previstos para dicha conducta.
c) Responde únicamente si obtiene un beneficio económico directo.
d) Solo puede recibir una advertencia verbal sin efectos disciplinarios.

13. En relación con el encubrimiento de faltas consumadas, ¿cuándo puede generar responsabilidad disciplinaria?

a) Cuando se refiera a cualquier falta leve, aunque no exista perjuicio.
b) Cuando afecte a faltas muy graves o graves y se derive daño grave para la administración o la ciudadanía.
c) Cuando se produzca fuera del ámbito funcional de la Administración.
d) Cuando el encubrimiento consista en una mera opinión expresada en privado.

14. ¿Qué ocurre si una sanción no puede cumplirse en el momento de dictarse la resolución por encontrarse la persona sancionada en una situación que lo impide?

a) La sanción queda sin efecto desde ese momento.
b) La sanción se sustituye automáticamente por apercibimiento.
c) La sanción se hará efectiva cuando el cambio de situación lo permita, salvo prescripción.
d) La sanción se transforma en responsabilidad patrimonial.

15. Respecto del personal temporal que cesa sin haber completado el cumplimiento de una sanción, ¿qué prevé la Ley 4/2021?

a) La sanción podrá aplicarse a sucesivos nombramientos, salvo que haya transcurrido el plazo de prescripción.
b) La sanción queda cancelada en el momento del cese.
c) La sanción se convierte automáticamente en separación del servicio.
d) La sanción solo puede cumplirse si el nuevo nombramiento es en otra administración.

En MADTEST tienes **más preguntas de este tema**, y todos tus avances quedan registrados y se reflejan en el ranking.

¡Supera tus límites con MADTEST!

Solución al test n.º 3

1. a) Austeridad.

2. b) Al personal funcionario o laboral empleado público gestionado por la conselleria competente en materia de sanidad.

3. c) De carrera e interinos.

4. d) El exceso o acumulación de tareas, de carácter excepcional y circunstancial, por un plazo máximo de nueve meses dentro de un período de dieciocho meses.

5. c) Urgencia.

6. d) Que impliquen la participación directa o indirecta en la salvaguardia de los intereses generales del Estado y de las Administraciones Públicas.

7. d) Cesará automáticamente cuando cese la autoridad a la que presta su función asesora o de confianza.

8. b) Está limitado por un máximo establecido por el Consell.

9. d) Se requiere tener reconocido, al menos, un nivel competencial 24 y el grado de desarrollo profesional II.

10. a) Se incluirá en la misma relación con la totalidad de puestos de trabajo de naturaleza funcionarial, laboral y eventual.

11. a) Cuando realice, en el ejercicio de sus funciones, una conducta tipificada como falta.

12. b) Responde disciplinariamente en los términos previstos para dicha conducta.

13. b) Cuando afecte a faltas muy graves o graves y se derive daño grave para la administración o la ciudadanía.

14. c) La sanción se hará efectiva cuando el cambio de situación lo permita, salvo prescripción.

15. a) La sanción podrá aplicarse a sucesivos nombramientos, salvo que haya transcurrido el plazo de prescripción.

TEST N.º 4

Decreto 42/2019, de 22 de marzo, del Consell, de regulación de las condiciones de trabajo del personal funcionario de la Administración de la Generalitat

1. A efectos del Decreto 42/2019, se entenderá por pareja de hecho aquella persona que mantiene una relación acreditada mediante:

a) Inscripción en un registro público oficial de uniones de hecho.
b) Certificación del Registro Civil.
c) Libro de familia.
d) Certificado de convivencia municipal.

2. Según el Decreto 42/2019, se considera familiar de primer grado en línea directa por consanguinidad o afinidad:

a) Hermanos y hermanas.
b) Madres y padres, hijas e hijos.
c) Abuelos y abuelas.
d) Cuñados y cuñadas.

3. A efectos del Decreto 42/2019, se consideran familiares de segundo grado por consanguinidad:

a) Hijos y padres.
b) Suegros y yernos.
c) Hermanos, abuelos y nietos.
d) Cónyuges e hijos políticos.

4. El concepto de necesitar especial dedicación o atención continuada implica que la persona afectada:

a) Necesita supervisión ocasional.
b) Tiene reconocida una discapacidad superior al 33 %.

c) Precisa atención sanitaria periódica.
d) Requiere cuidados o asistencia continuada por terceras personas.

5. A efectos del Decreto 42/2019, el informe del órgano competente de la administración sanitaria será emitido por:

a) El inspector médico de zona o el facultativo responsable en hospital.
b) El médico de cabecera exclusivamente.
c) El director del hospital.
d) El jefe de servicio sanitario.

6. La situación de convivencia deberá acreditarse con carácter general mediante:

a) Libro de familia.
b) Certificado de empadronamiento del ayuntamiento de residencia.
c) Declaración responsable.
d) Certificación del Registro Civil.

7. La condición de discapacidad o diversidad funcional se acreditará mediante:

a) Informe médico del centro de salud.
b) Certificado del ayuntamiento.
c) Resolución o certificación oficial del grado de discapacidad.
d) Informe de servicios sociales.

8. El grado de parentesco y relación familiar se acreditará, entre otros medios, mediante:

a) Certificado de empadronamiento.
b) Libro de familia o certificación del Registro Civil.
c) Informe del médico de familia.
d) Certificado de convivencia.

9. La situación de violencia de género se acreditará conforme a lo previsto en:

a) El artículo 23 de la Ley Orgánica 1/2004.
b) La Ley 39/2015.
c) La Ley 40/2015.
d) El Estatuto Básico del Empleado Público.

10. La condición de familia numerosa deberá acreditarse mediante:

a) Libro de familia.
b) Título oficial actualizado de familia numerosa.
c) Certificado del Registro Civil.
d) Certificado de empadronamiento.

11. La condición de familia monoparental se acreditará mediante:

a) Certificado del ayuntamiento.
b) Libro de familia.
c) Título expedido por la Conselleria competente.
d) Certificado de convivencia.

12. La situación de especial dedicación se acreditará mediante:

a) Informe de la dirección del centro.
b) Informe sanitario o resolución de dependencia.
c) Declaración responsable.
d) Informe del ayuntamiento.

13. La enfermedad grave se acreditará, entre otros medios, mediante:

a) Justificante de hospitalización o informe del facultativo responsable.
b) Certificado de empadronamiento.
c) Declaración responsable del funcionario.
d) Informe del superior jerárquico.

14. Según el Decreto 42/2019, las personas interesadas no estarán obligadas a aportar documentos que hayan sido elaborados por:

a) Administraciones locales.
b) Cualquier administración pública.
c) Entidades privadas.
d) Empresas públicas.

15. El personal que tenga asignada la jornada de 37 horas y 30 minutos estará sujeto a:

a) Obligación de realizar horas extraordinarias.
b) Régimen de incompatibilidades para ejercer otras actividades.
c) Disponibilidad permanente sin compensación.
d) Prohibición de permisos.

En MADTEST tienes **más preguntas de este tema**, y todos tus avances quedan registrados y se reflejan en el ranking.

¡Supera tus límites con MADTEST!

Solución al test n.º 4

1. a) Inscripción en un registro público oficial de uniones de hecho.

2. b) Madres y padres, hijas e hijos.

3. c) Hermanos, abuelos y nietos.

4. d) Requiere cuidados o asistencia continuada por terceras personas.

5. a) El inspector médico de zona o el facultativo responsable en hospital.

6. b) Certificado de empadronamiento del ayuntamiento de residencia.

7. c) Resolución o certificación oficial del grado de discapacidad.

8. b) Libro de familia o certificación del Registro Civil.

9. a) El artículo 23 de la Ley Orgánica 1/2004.

10. b) Título oficial actualizado de familia numerosa.

11. c) Título expedido por la Conselleria competente.

12. b) Informe sanitario o resolución de dependencia.

13. a) Justificante de hospitalización o informe del facultativo responsable.

14. b) Cualquier administración pública.

15. b) Régimen de incompatibilidades para ejercer otras actividades.

C. Atención a la Ciudadanía

TEST N.º 5

Atención a la ciudadanía: Decreto 30/2025, de 25 de febrero, del Consell, por el que se regula la atención a la ciudadanía y las oficinas de asistencia en materia de registro en la Administración y el sector público instrumental de la Generalitat: Título II, Sistema de atención a la ciudadanía; Título IV, Canales para la atención y asistencia a la ciudadanía: Capítulo I, Disposiciones generales; Capítulo II, Atención presencial; Capítulo III, Atención ciudadana

1. La atención a la ciudadanía se concibe como un servicio público organizado para evitar respuestas divergentes según el punto de entrada. ¿Qué formulación recoge mejor esa idea?

a) Un servicio basado en actuaciones independientes de cada unidad.
b) Un sistema con pautas compartidas y coherencia en la prestación.
c) Un mecanismo centrado en la resolución técnica de expedientes.
d) Una atención que se limita a informar sobre horarios y localización.

2. La continuidad entre canales pretende que la atención no se "reinicie" cuando la persona cambia de vía de contacto. ¿Qué condición sostiene de forma más directa esa continuidad?

a) La existencia de un canal principal y otros auxiliares.
b) La derivación inmediata de cualquier consulta a un segundo nivel.
c) La preferencia del canal presencial en consultas complejas.
d) Una información de referencia común y alineada en el sistema.

3. La "integralidad" del modelo de atención se asocia a una relación corporativa y multidepartamental. ¿Qué exigencia se deriva de esa integralidad?

a) Criterios uniformes de acogida y orientación y escalado con continuidad.
b) Respuestas distintas en cada canal para adaptarse a la vía.
c) Derivación frecuente para no responder en primera atención.
d) Reducción de canales para evitar coordinación interna.

4. La orientación se define por su capacidad de convertir una consulta inicial en un itinerario viable. ¿Qué operación es propia de la orientación?

a) Registrar todas las consultas para su explotación estadística.
b) Comprobar identidad en cualquier interacción, aunque sea general.
c) Delimitar la necesidad real y conducir a una salida ejecutable.
d) Sustituir la intervención de unidades competentes en materias técnicas.

5. A la hora de relacionarse de manera efectiva con la Generalitat, la asistencia se activa cuando existen barreras que impiden continuar. ¿Qué definición es más ajustada?

a) Repetición de la información general con más detalle.
b) Apoyo efectivo para que la relación sea viable cuando hay brecha digital o dificultades de comprensión.
c) Transferencia automática de la atención a un canal distinto.
d) Sustitución de la atención presencial por envío de información escrita.

6. En atención multicanal, la identificación de la persona usuaria no es uniforme en todos los casos. ¿Qué criterio operativo es el más correcto?

a) Identificación formal en cualquier consulta para asegurar trazabilidad.
b) Identificación en toda interacción telefónica, aunque sea informativa.
c) Identificación basada en datos amplios para prevenir incidencias futuras.
d) Identificación cuando sea necesaria por finalidad y por garantías de la atención.

7. El sistema de información para la atención no se limita a un repositorio; sostiene la coherencia del servicio. ¿Qué contenido encaja mejor con su función?

a) Información operativa sobre trámites, requisitos habituales, unidades competentes, canales, localización y horarios, con actualización.
b) Textos normativos íntegros como única fuente de respuesta.
c) Directorio interno de personal como instrumento principal del sistema.
d) Estadísticas de demanda como contenido central para informar.

8. La unificación de criterios no implica uniformidad rígida: admite especialización cuando la consulta lo exige. ¿Qué afirmación refleja mejor esa compatibilidad?

a) La especialización desaparece si existe una base común de información.
b) Toda consulta se atiende en primer nivel para evitar escalados.
c) Se mantienen estándares comunes y se escala cuando la naturaleza de la consulta requiere respuesta especializada.
d) La coherencia se logra derivando la mayoría de consultas a unidades sectoriales.

9. La homogeneidad del servicio se sostiene con instrumentos de coherencia interna. ¿Qué elemento cumple esa función de manera directa?

a) Respuestas individualizadas según el estilo de cada oficina.
b) Información corporativa común, pautas compartidas y criterios claros de derivación.

c) Eliminación de guías de atención para favorecer flexibilidad.
d) Centralización del servicio en un único canal de entrada.

10. La derivación de calidad evita reenvíos en cadena y reduce recontactos. ¿Qué regla describe mejor esa exigencia?

a) La derivación debe ofrecer una salida clara y suficiente, con cierre y destino identificable.
b) La derivación debe ser breve y genérica para agilizar el servicio.
c) La derivación debe evitar explicaciones para reducir tiempos.
d) La derivación debe producirse cuando la persona insista en cambiar de canal.

11. La accesibilidad universal se configura como condición estructural del servicio en todos los canales. ¿Qué medida concreta se integra para hacer el servicio utilizable por distintas necesidades?

a) Exclusión de formatos alternativos para mantener uniformidad documental.
b) Atención accesible entendida como disponibilidad de canal presencial, sin garantizar formatos alternativos de comunicación.
c) Accesibilidad vinculada a condiciones físicas del servicio, sin incorporar medidas de comprensión del contenido.
d) Disponibilidad de información en lengua de signos, formato auditivo o lectura fácil.

12. Además de medidas técnicas o de diseño, la accesibilidad exige capacidades profesionales. ¿Qué actuación contribuye directamente a ello?

a) Sustituir la atención humana por mecanismos automáticos.
b) Mantener el servicio sin cambios para evitar desviaciones.
c) Sensibilización, divulgación y formación del personal para adecuación a circunstancias diversas.
d) Eliminar la orientación para reducir interacción.

13. La cita previa se incorpora como herramienta de organización de la demanda en servicios de alta demanda. ¿Qué finalidad refleja mejor su función?

a) Mejorar la calidad, reducir esperas y organizar recursos.
b) Limitar el acceso al servicio a quienes obtengan cita con antelación.
c) Sustituir la atención presencial por la telefónica.
d) Evitar la existencia de turnos en oficina.

14. La concertación de la cita previa se prevé por varias vías. ¿Qué conjunto es el más ajustado?

a) Solicitud presencial exclusiva en la unidad competente.
b) Sede PROP, servicio telefónico 012 y oficinas o puntos PROP, entre otras.
c) Únicamente por correo postal para asegurar constancia.
d) Exclusivamente mediante derivación desde un segundo nivel.

15. Para que la cita previa funcione como instrumento de servicio y no como barrera, se exige una condición organizativa vinculada a incidencias. ¿Cuál es?

a) Confirmación exclusivamente en soporte papel para evitar errores.
b) Eliminación del dato de contacto para proteger confidencialidad.
c) Cierre del servicio ante incidencias para reducir saturación.
d) Difusión suficiente de medios y dato de contacto ágil para comunicar incidencias.

En MADTEST tienes **más preguntas de este tema**, y todos tus avances quedan registrados y se reflejan en el ranking.

¡Supera tus límites con MADTEST!

Solución al test n.º 5

1. b) Un sistema con pautas compartidas y coherencia en la prestación.

2. d) Una información de referencia común y alineada en el sistema.

3. a) Criterios uniformes de acogida y orientación y escalado con continuidad.

4. c) Delimitar la necesidad real y conducir a una salida ejecutable.

5. b) Apoyo efectivo para que la relación sea viable cuando hay brecha digital o dificultades de comprensión.

6. d) Identificación cuando sea necesaria por finalidad y por garantías de la atención.

7. a) Información operativa sobre trámites, requisitos habituales, unidades competentes, canales, localización y horarios, con actualización.

8. c) Se mantienen estándares comunes y se escala cuando la naturaleza de la consulta requiere respuesta especializada.

9. b) Información corporativa común, pautas compartidas y criterios claros de derivación.

10. a) La derivación debe ofrecer una salida clara y suficiente, con cierre y destino identificable.

11. d) Disponibilidad de información en lengua de signos, formato auditivo o lectura fácil.

12. c) Sensibilización, divulgación y formación del personal para adecuación a circunstancias diversas.

13. a) Mejorar la calidad, reducir esperas y organizar recursos.

14. b) Sede PROP, servicio telefónico 012 y oficinas o puntos PROP, entre otras.

15. d) Difusión suficiente de medios y dato de contacto ágil para comunicar incidencias.

TEST N.º 6

Control de acceso, vigilancia y custodia de edificios públicos. Sistemas de identificación de personas usuarias y su recepción. Protección de datos personales: Reglamento (UE) 2016/679 del Parlamento Europeo y del Consejo de 27 de abril de 2016: Capítulo II, Principios

1. En el control de acceso a un edificio público, ¿cuál es la finalidad principal de ordenar la entrada, permanencia y salida de las personas usuarias?

a) Sustituir la actuación de las unidades administrativas en la atención al público.
b) Permitir que cada persona acceda al servicio, unidad o espacio que corresponda, evitando entradas indebidas y desplazamientos innecesarios.
c) Comprobar el contenido de los trámites que cada persona pretende realizar.
d) Autorizar la entrada a cualquier dependencia cuando la persona indique que tiene interés en acceder.

2. Una persona ha accedido correctamente al edificio, pero se dirige por error a una zona interna no abierta al público. ¿Cuál debe ser la actuación adecuada del personal subalterno?

a) Permitir que continúe hasta localizar por sí misma la unidad que busca.
b) Pedirle que abandone el edificio sin más indicaciones.
c) Solicitarle información detallada sobre el expediente que pretende consultar.
d) Reconducir la situación con corrección y comunicar la incidencia si excede de una simple orientación.

3. ¿Qué actuación se ajusta mejor a la función de protección de documentación administrativa en mostradores, salas o zonas comunes?

a) Mantener la documentación fuera del alcance del público y comunicar cualquier exposición, extravío o abandono documental.
b) Dejar los documentos visibles cuando resulten necesarios para agilizar la atención.

c) Permitir que las personas consulten listados para comprobar si figuran en ellos.

d) Leer los documentos visibles para determinar por cuenta propia su contenido y destino.

4. En la ordenación ordinaria del edificio, las colas y esperas deben organizarse de manera que:

a) Se concentren junto a las puertas de acceso para facilitar el control visual.

b) Se formen libremente, siempre que no haya protesta de las personas usuarias.

c) No bloqueen puertas, pasillos, ascensores, escaleras o salidas de emergencia.

d) Se sitúen preferentemente en zonas internas para despejar la entrada principal.

5. Cuando una persona usuaria solicita información que excede de la disponible en recepción, el personal subalterno debe:

a) Dar una respuesta aproximada para evitar que la persona tenga que esperar.

b) Derivarla a la unidad competente para que sea atendida por quien corresponda.

c) Consultar el expediente para ofrecer una indicación más completa.

d) Recoger sus datos personales y resolver posteriormente la consulta.

6. La comprobación básica del motivo de acceso tiene como finalidad principal:

a) Ordenar la circulación dentro del edificio y evitar accesos injustificados a zonas internas.

b) Investigar el contenido del trámite administrativo que desea realizar la persona.

c) Valorar si la solicitud que pretende presentar será estimada.

d) Sustituir el control que corresponde a la unidad destinataria.

7. En caso de cita previa, convocatoria o listado de asistencia, la comprobación del personal subalterno debe centrarse en:

a) El contenido completo del asunto por el que acude la persona.

b) La situación personal que justifica su presencia en el edificio.

c) La consulta del listado completo por parte de la persona interesada.

d) Los datos imprescindibles, como nombre, hora, unidad convocante o sala asignada.

8. Si una persona pretende acceder a una dependencia restringida sin autorización, la respuesta adecuada consiste en:

a) Permitir el acceso si la persona insiste en que conoce al personal de la unidad.

b) Acompañarla hasta la dependencia para que allí se resuelva la situación.

c) Mantener una actitud serena, explicar la imposibilidad de acceso y comunicar la incidencia si procede.

d) Retener su documentación personal hasta que acepte abandonar el edificio.

9. ¿Cuál de las siguientes actuaciones excede de las funciones propias del personal subalterno?

a) Decidir si una persona tiene derecho de acceso a documentos administrativos.
b) Indicar la ubicación de un mostrador o sala de espera.
c) Comunicar una avería visible en una puerta de acceso.
d) Orientar a una persona hacia la unidad competente.

10. En una situación de conflicto en la que una persona intenta acceder por la fuerza a una zona restringida, el personal subalterno debe:

a) Impedir físicamente el paso mediante retención directa.
b) Registrar sus pertenencias para comprobar el riesgo.
c) Resolver la situación sin avisar para no alterar el servicio.
d) Evitar enfrentamientos directos y activar los cauces previstos.

11. El respeto a la igualdad de trato en el control de acceso exige que las reglas de entrada se apliquen:

a) Según la impresión que produzca cada persona en recepción.
b) De forma objetiva, homogénea y sin preferencias personales.
c) Con mayor flexibilidad cuando la persona alegue urgencia verbalmente.
d) Según el tipo de trámite que el personal subalterno considere más importante.

12. En la atención a personas con discapacidad, la actuación más adecuada es:

a) Decidir por ellas el recorrido más conveniente sin consultarles.
b) Evitar cualquier ofrecimiento de ayuda para no interferir.
c) Ofrecer apoyo con naturalidad, respetando su autonomía y orientando hacia recursos accesibles.
d) Derivarlas siempre a otra persona sin facilitar indicaciones iniciales.

13. La vigilancia ordinaria de dependencias administrativas tiene carácter:

a) Sancionador y técnico.
b) Policial y correctivo.
c) Reservado a empresas externas.
d) Preventivo y organizativo.

14. En la observación de zonas comunes, pasillos y salas de espera, el personal subalterno debe atender especialmente a:

a) Obstáculos, acumulación de objetos, desperfectos visibles o elementos que dificulten la movilidad.
b) La conversación privada de las personas que esperan.

c) El contenido de los documentos que portan las personas usuarias.

d) La valoración jurídica de las solicitudes presentadas.

15. Si se detecta un cable atravesando un pasillo con riesgo de tropiezo, la actuación correcta será:

a) Esperar a que alguna persona comunique formalmente la incidencia.

b) Ignorarlo si el cable pertenece a una unidad administrativa.

c) Retirarlo o recolocarlo si puede hacerse sin riesgo y dentro de las funciones, o comunicarlo si requiere intervención.

d) Dejarlo en el mismo lugar hasta que termine la jornada.

En MADTEST tienes **más preguntas de este tema**, y todos tus avances quedan registrados y se reflejan en el ranking.

¡Supera tus límites con MADTEST!

Solución al test n.º 6

1. b) Permitir que cada persona acceda al servicio, unidad o espacio que corresponda, evitando entradas indebidas y desplazamientos innecesarios.

2. d) Reconducir la situación con corrección y comunicar la incidencia si excede de una simple orientación.

3. a) Mantener la documentación fuera del alcance del público y comunicar cualquier exposición, extravío o abandono documental.

4. c) No bloqueen puertas, pasillos, ascensores, escaleras o salidas de emergencia.

5. b) Derivarla a la unidad competente para que sea atendida por quien corresponda.

6. a) Ordenar la circulación dentro del edificio y evitar accesos injustificados a zonas internas.

7. d) Los datos imprescindibles, como nombre, hora, unidad convocante o sala asignada.

8. c) Mantener una actitud serena, explicar la imposibilidad de acceso y comunicar la incidencia si procede.

9. a) Decidir si una persona tiene derecho de acceso a documentos administrativos.

10. d) Evitar enfrentamientos directos y activar los cauces previstos.

11. b) De forma objetiva, homogénea y sin preferencias personales.

12. c) Ofrecer apoyo con naturalidad, respetando su autonomía y orientando hacia recursos accesibles.

13. d) Preventivo y organizativo.

14. a) Obstáculos, acumulación de objetos, desperfectos visibles o elementos que dificulten la movilidad.

15. c) Retirarlo o recolocarlo si puede hacerse sin riesgo y dentro de las funciones, o comunicarlo si requiere intervención.

D. Seguridad y Salud Laboral

La Ley 31/1995, de 8 de noviembre de Prevención de Riesgos Laborales: Capítulo III, Derechos y obligaciones. Normativa básica de aplicación en la seguridad y la salud en el trabajo: Real decreto 486/1997, de 14 de abril, por el que se establecen las disposiciones mínimas de seguridad y salud en los puestos de trabajo: anexo II, Orden, limpieza y mantenimiento; anexo III, Condiciones ambientales de los lugares de trabajo; anexo VI, Material y locales de primeros auxilios

1. En el sistema configurado por la Ley 31/1995, de 8 de noviembre, de Prevención de Riesgos Laborales, la finalidad preventiva se entiende correctamente cuando se afirma que la actuación pública debe orientarse a:

a) Reparar los daños producidos en el trabajo mediante medidas posteriores al accidente.

b) Identificar las responsabilidades individuales una vez producido el daño laboral.

c) Anticiparse al riesgo, identificarlo, evaluarlo y adoptar medidas eficaces para eliminarlo o reducirlo.

d) Limitar la prevención a los puestos con exposición a maquinaria, productos peligrosos o actividades técnicas.

2. El derecho de las personas trabajadoras a una protección eficaz en materia de seguridad y salud implica, en el ámbito de una Administración pública, que:

a) La Administración debe garantizar la seguridad y salud del personal en todos los aspectos relacionados con el trabajo.

b) El personal asume la organización de las medidas preventivas cuando desempeña tareas materiales.

c) La protección preventiva queda limitada a los espacios donde se desarrolla la tarea principal de cada puesto.

d) La Administración cumple su deber preventivo con la mera existencia de instrucciones generales.

3. El carácter gratuito de las medidas preventivas reconocido en la Ley 31/1995 supone que:

a) El personal debe asumir el coste de los equipos de protección cuando sean de uso individual.

b) La formación preventiva puede organizarse fuera de la jornada sin compensación si resulta conveniente.

c) Las medidas preventivas pueden financiarse por el personal cuando respondan a riesgos ordinarios.

d) El coste de las medidas relativas a la seguridad y salud no debe recaer sobre las personas trabajadoras.

4. La aplicación de los principios de la acción preventiva del artículo 15 de la Ley 31/1995 exige, ante una zona de paso ocupada de forma reiterada por cajas y material, que la organización preventiva:

a) Recomiende al personal circular con mayor atención mientras se mantiene el uso del espacio.

b) Actúe sobre la causa del riesgo, reorganizando el almacenamiento o el procedimiento que provoca la ocupación.

c) Considere suficiente la advertencia verbal si el obstáculo es visible para quienes circulan.

d) Traslade al personal la responsabilidad de retirar los objetos cuando necesite utilizar el pasillo.

5. La evaluación de riesgos regulada en el artículo 16 de la Ley 31/1995 cumple adecuadamente su función cuando:

a) Permite identificar y valorar los riesgos no evitados para adoptar medidas preventivas concretas.

b) Se limita a describir de forma general que en el centro pueden existir riesgos materiales.

c) Se realiza al inicio de la actividad y no se revisa mientras no cambie la denominación del puesto.

d) Sustituye la planificación preventiva cuando las deficiencias detectadas son de escasa complejidad.

6. En relación con los equipos de trabajo y medios de protección, la Ley 31/1995 exige que los equipos utilizados por el personal:

a) Sean elegidos por cada persona según su experiencia práctica en la tarea.

b) Se mantengan en uso mientras permitan finalizar la actividad encomendada.

c) Sean adecuados al trabajo que deba realizarse y estén adaptados para garantizar la seguridad y salud.

d) Sean sustituidos por equipos de protección individual cuando exista cualquier riesgo material.

7. El derecho de información preventiva del personal se cumple de forma adecuada cuando la información facilitada permite conocer:

a) La organización interna del servicio, los turnos disponibles y las instrucciones administrativas generales.

b) Los riesgos existentes, las medidas de protección y prevención aplicables y las medidas de emergencia.

c) Las funciones ordinarias de cada unidad administrativa y la distribución del personal en el edificio.

d) Los procedimientos de atención presencial y los criterios de ordenación de personas usuarias.

8. La formación preventiva prevista en el artículo 19 de la Ley 31/1995 debe caracterizarse por ser:

a) General, voluntaria y desvinculada de las tareas concretas que desempeña cada persona.

b) Teórica, externa a la jornada y costeada por el personal cuando tenga utilidad profesional.

c) Inicial, informativa y centrada en los riesgos comunes del edificio, sin conexión con la función.

d) Teórica y práctica, suficiente, adecuada y centrada en el puesto de trabajo o función.

9. Las medidas de emergencia previstas en la Ley 31/1995 deben incluir actuaciones organizadas en materia de:

a) Atención administrativa, identificación de visitantes y gestión documental del centro.

b) Control horario, acceso a dependencias y régimen ordinario de apertura de edificios.

c) Primeros auxilios, lucha contra incendios y evacuación del personal.

d) Custodia de llaves, vigilancia patrimonial y protección de datos de las personas usuarias.

10. Ante una situación de riesgo grave e inminente, conforme al artículo 21 de la Ley 31/1995, la Administración debe:

a) Informar lo antes posible al personal afectado y adoptar medidas para interrumpir la actividad o abandonar el lugar si resulta necesario.

b) Mantener la actividad hasta que exista confirmación técnica completa de la causa del riesgo.

c) Solicitar al personal que concluya las tareas iniciadas antes de abandonar la zona afectada.

d) Sustituir la evacuación por una comunicación posterior cuando el riesgo afecte a espacios administrativos.

11. La vigilancia de la salud regulada en el artículo 22 de la Ley 31/1995 tiene como finalidad principal:

a) Conocer el estado médico general del personal al margen de los riesgos laborales existentes.

b) Detectar efectos de los riesgos del trabajo sobre la salud y orientar medidas preventivas.

c) Sustituir la evaluación de riesgos cuando existan reconocimientos médicos periódicos.

d) Comunicar a la Administración los diagnósticos clínicos completos para organizar el servicio.

12. La regla general en materia de vigilancia de la salud es que los reconocimientos médicos:

a) Son obligatorios para todo el personal de la Administración por razón del vínculo público.

b) Pueden realizarse sin consentimiento cuando el puesto incluya movilidad por dependencias.

c) Permiten comunicar datos médicos completos si facilitan la organización del centro.

d) Requieren el consentimiento de la persona trabajadora, salvo los supuestos excepcionales previstos legalmente.

13. La protección de las personas especialmente sensibles a determinados riesgos exige que la Administración:

a) Tenga en cuenta sus características personales o estado biológico conocido en la evaluación y adopte medidas adecuadas.

b) Excluya del desempeño ordinario a cualquier persona con limitaciones funcionales o discapacidad reconocida.

c) Aplique las mismas condiciones materiales a todo el personal para garantizar igualdad formal.

d) Sustituya la adaptación preventiva por una comunicación general de los riesgos del centro.

14. La protección de la maternidad prevista en la Ley 31/1995 exige que, si la evaluación revela riesgo para el embarazo o la lactancia, la respuesta preventiva inicial consista en:

a) Mantener las tareas habituales hasta que se produzca una indicación sanitaria externa.

b) Cambiar de puesto de forma inmediata sin valorar otras medidas organizativas.

c) Adaptar las condiciones o el tiempo de trabajo para evitar la exposición al riesgo.

d) Trasladar la decisión preventiva a la persona afectada sin intervención de la Administración.

15. En relación con el personal temporal o de duración determinada, la Ley 31/1995 establece que:

a) Su protección preventiva puede limitarse a los riesgos principales por la brevedad de la relación.

b) Debe disfrutar del mismo nivel de protección en materia de seguridad y salud que el resto del personal.

c) La formación preventiva resulta exigible cuando la relación supera un período prolongado.

d) La información sobre riesgos puede facilitarse después de iniciada la actividad si el centro es administrativo.

En MADTEST tienes **más preguntas de este tema**, y todos tus avances quedan registrados y se reflejan en el ranking.

¡Supera tus límites con MADTEST!

Solución al test n.º 7

1. c) Anticiparse al riesgo, identificarlo, evaluarlo y adoptar medidas eficaces para eliminarlo o reducirlo.

2. a) La Administración debe garantizar la seguridad y salud del personal en todos los aspectos relacionados con el trabajo.

3. d) El coste de las medidas relativas a la seguridad y salud no debe recaer sobre las personas trabajadoras.

4. b) Actúe sobre la causa del riesgo, reorganizando el almacenamiento o el procedimiento que provoca la ocupación.

5. a) Permite identificar y valorar los riesgos no evitados para adoptar medidas preventivas concretas.

6. c) Sean adecuados al trabajo que deba realizarse y estén adaptados para garantizar la seguridad y salud.

7. b) Los riesgos existentes, las medidas de protección y prevención aplicables y las medidas de emergencia.

8. d) Teórica y práctica, suficiente, adecuada y centrada en el puesto de trabajo o función.

9. c) Primeros auxilios, lucha contra incendios y evacuación del personal.

10. a) Informar lo antes posible al personal afectado y adoptar medidas para interrumpir la actividad o abandonar el lugar si resulta necesario.

11. b) Detectar efectos de los riesgos del trabajo sobre la salud y orientar medidas preventivas.

12. d) Requieren el consentimiento de la persona trabajadora, salvo los supuestos excepcionales previstos legalmente.

13. a) Tenga en cuenta sus características personales o estado biológico conocido en la evaluación y adopte medidas adecuadas.

14. c) Adaptar las condiciones o el tiempo de trabajo para evitar la exposición al riesgo.

15. b) Debe disfrutar del mismo nivel de protección en materia de seguridad y salud que el resto del personal.

E. Informática Básica y Ofimática

TEST N.º 8

Seguridad digital: Orden 19/2013, de 3 de diciembre, de la Conselleria de Hacienda y Administración Pública, por la que se establecen las normas sobre el uso seguro de medios tecnológicos en la Administración de la Generalitat: Capítulo III, Medios tecnológicos; Anexo, Glosario de términos

1. En el uso seguro de medios tecnológicos, la medida más decisiva no suele ser una herramienta concreta, sino una conducta constante; por eso, lo que realmente sostiene el sistema preventivo es:

a) La compra de equipos más potentes para evitar fallos.
b) La externalización completa del soporte para reducir errores.
c) La existencia de un antivirus, aunque no se actualice.
d) La conducta cotidiana del personal, que aplica hábitos de prudencia y custodia.

2. Cuando se habla de "disponibilidad" aplicada al trabajo administrativo con medios tecnológicos, no se alude a que todo esté publicado, sino a que el servicio pueda operar sin interrupciones; por ello se refiere principalmente a:

a) Que la información esté siempre publicada en Internet.
b) Que sistemas y datos puedan usarse cuando se necesitan para prestar el servicio.
c) Que el buzón de correo esté siempre vacío.
d) Que se pueda usar cualquier red inalámbrica en movilidad.

3. En el cierre de la jornada, además de guardar el trabajo, deben adoptarse medidas que reduzcan riesgos de accesos indebidos y exposición; en ese sentido, una medida básica de cierre seguro es:

a) Dejar el equipo encendido para facilitar actualizaciones nocturnas.
b) Imprimir el trabajo pendiente para retomarlo después.
c) Apagar el equipo al finalizar la jornada, conforme a las instrucciones corporativas.
d) Copiar la carpeta de trabajo a un USB "por si acaso".

4. En la gestión diaria de documentos electrónicos, la seguridad y la continuidad del servicio dependen de dónde se guardan los archivos y de si están protegidos por el entorno corporativo; por ello, lo más correcto es:

a) Guardarlos en ubicaciones corporativas en red o repositorios internos para control de accesos y copias de seguridad.
b) Guardarlos en el escritorio local para encontrarlos más rápido.
c) Guardarlos en una nube personal para acceder desde cualquier sitio.
d) Guardarlos en un USB para tener una copia física.

5. En el trabajo con portátil fuera de dependencias, el riesgo de redes inseguras y suplantaciones aumenta; por ello, una conducta preventiva específica y muy relevante es:

a) Mantener siempre activado el Bluetooth para conectar periféricos rápido.
b) Conectarse a redes abiertas si la señal es buena.
c) Evitar redes ajenas/no confiables y, si procede, desactivar la búsqueda automática de redes Wi-Fi.
d) Compartir Internet con el móvil personal como norma general.

6. En movilidad, además de custodiar físicamente el portátil y ser prudente con redes, es importante que el equipo se mantenga dentro del circuito de protección corporativa; por ello, una recomendación operativa relevante es:

a) Evitar conectarse nunca a la red corporativa para no exponerse.
b) Conectarse periódicamente a la red corporativa, al menos con frecuencia mensual, para actualizaciones y verificaciones.
c) Usar siempre redes públicas para no depender de la oficina.
d) No reiniciar el equipo para no perder documentos temporales.

7. En impresoras o multifunción compartidas, el riesgo principal no es técnico sino físico: que el documento quede expuesto en bandeja; por ello, una medida muy eficaz cuando existe esa opción es:

a) Imprimir siempre en color para distinguir los documentos.
b) Utilizar buzón o liberación de impresión con clave/PIN, si el dispositivo lo permite.
c) Enviar todas las impresiones a una cola común para agilizar.
d) Dejar la impresión hasta que se recoja al final del día.

8. En el manejo de impresiones, copias y originales, la mayor parte de incidentes se producen por descuido, no por mala fe; por eso, una regla de trabajo imprescindible es que:

a) Los documentos pueden quedarse en bandeja si la oficina es pequeña.
b) Solo deben retirarse los originales, no las copias.

c) Es suficiente con retirar al día siguiente si no hay público.

d) Impresiones, copias y originales deben retirarse de inmediato y volver a su circuito documental.

9. En correo corporativo, la seguridad no exige escribir más, sino escribir mejor: ser útil sin abrir exposición innecesaria; por ello, el objetivo principal de la redacción segura es:

a) Aumentar la longitud del mensaje para evitar dudas.

b) Evitar cualquier adjunto, aunque sea necesario.

c) Hacer el mensaje útil sin exponer más información de la necesaria.

d) Remitir siempre a conversaciones largas para dar contexto completo.

10. Muchos incidentes en correo corporativo derivan de errores de destinatario y de reenvíos con historial; por ello, una medida preventiva clave consiste en:

a) Confiar en el autocompletado sin revisar.

b) Verificar destinatarios (Para/CC/CCO) y revisar contenido arrastrado en reenvíos e hilos.

c) Enviar siempre a listas para "asegurarse" de que llega.

d) Reenviar cadenas antiguas para conservar trazabilidad.

11. Cuando llega un mensaje con tono urgente que pide credenciales o acciones inusuales, el riesgo de suplantación es alto y la respuesta correcta no es actuar con prisa; por tanto, lo prudente es:

a) Facilitar la contraseña para evitar bloqueo de la cuenta.

b) Abrir el enlace desde el móvil para comprobarlo "más rápido".

c) Reenviar el correo a varios compañeros para pedir opinión.

d) No clicar y verificar por segunda vía antes de actuar.

12. Si el sistema corporativo contempla firma digital en el correo, su finalidad principal no es estética, sino reforzar garantías de identidad del remitente; por ello, sirve para:

a) Aumentar el tamaño del buzón.

b) Reemplazar la verificación del destinatario.

c) Reforzar la autenticidad del remitente y reducir suplantaciones.

d) Permitir instalar software sin autorización.

13. En el envío de documentación por correo, además de prudencia con destinatarios, debe considerarse que pueden existir límites de capacidad del buzón y del tamaño de adjuntos; por ello, cuando el contenido es voluminoso o sensible es preferible:

a) Adjuntar siempre ficheros pesados para "centralizar".

b) Usar preferentemente un repositorio interno con control de accesos en lugar de adjuntar o reenviar cadenas.

c) Enviar el archivo a un correo personal.
d) Comprimir y enviar por cualquier servicio externo.

14. El acceso a Internet desde la red corporativa no es un acceso "libre", sino un acceso gobernado por medidas de seguridad institucionales; por ello, una regla esencial es:

a) Usar cualquier salida a Internet disponible para mejorar velocidad.
b) Acceder únicamente a través de la salida establecida por el órgano competente en TIC, con controles corporativos.
c) Desactivar filtros para evitar bloqueos.
d) Navegar sin perfil para no dejar rastro.

15. Los perfiles de acceso, horarios y filtrados automatizados no son un obstáculo casual, sino un mecanismo de protección del entorno corporativo; por ello:

a) Son medidas opcionales que el usuario puede eludir si le conviene.
b) Se aplican solo a directivos, no al personal auxiliar.
c) No tienen relación con la seguridad del equipo.
d) Forman parte de la protección del sistema y no deben eludirse.

En MADTEST tienes **más preguntas de este tema**, y todos tus avances quedan registrados y se reflejan en el ranking.

¡Supera tus límites con MADTEST!

Solución al test n.º 8

1. d) La conducta cotidiana del personal, que aplica hábitos de prudencia y custodia.

2. b) Que sistemas y datos puedan usarse cuando se necesitan para prestar el servicio.

3. c) Apagar el equipo al finalizar la jornada, conforme a las instrucciones corporativas.

4. a) Guardarlos en ubicaciones corporativas en red o repositorios internos para control de accesos y copias de seguridad.

5. c) Evitar redes ajenas/no confiables y, si procede, desactivar la búsqueda automática de redes Wi-Fi.

6. b) Conectarse periódicamente a la red corporativa, al menos con frecuencia mensual, para actualizaciones y verificaciones.

7. b) Utilizar buzón o liberación de impresión con clave/PIN, si el dispositivo lo permite.

8. d) Impresiones, copias y originales deben retirarse de inmediato y volver a su circuito documental.

9. c) Hacer el mensaje útil sin exponer más información de la necesaria.

10. b) Verificar destinatarios (Para/CC/CCO) y revisar contenido arrastrado en reenvíos e hilos.

11. d) No clicar y verificar por segunda vía antes de actuar.

12. c) Reforzar la autenticidad del remitente y reducir suplantaciones.

13. b) Usar preferentemente un repositorio interno con control de accesos en lugar de adjuntar o reenviar cadenas.

14. b) Acceder únicamente a través de la salida establecida por el órgano competente en TIC, con controles corporativos.

15. d) Forman parte de la protección del sistema y no deben eludirse.

Cómo acceder al Curso

Subalterno/a (Agrupación Profesional Funcionarial APT-APF-01)

Test del temario

El uso de los códigos **es exclusivo de los compradores de los productos de Editorial MAD**. Cada producto posee un código único y de un solo uso. Es personal e intransferible y da acceso a servicios y contenidos adicionales. Editorial MAD se reserva el derecho de hacer cuantas comprobaciones sean necesarias para identificar al legítimo poseedor del código y dejar de dar servicio a quien haga uso fraudulento del mismo, además de emprender cuantas acciones legales estime oportunas según la legislación vigente.

Deberás acceder a:

mad.es/registro-campus

Si una vez aceptadas las condiciones de uso del Campus decides hacer uso del mismo, necesitarás del siguiente código de acceso junto con los códigos del resto de títulos que se exigen (si fuera el caso):

XB9AC8IN4F